Tout pour la France

Georges Mandel, le moine de la politique, Grasset, 1994.
Au bout de la passion, l'équilibre : entretiens avec Michel Denisot, Albin Michel, 1995.
Libre, Robert Laffont, 2001 ; Pocket, 2003.
La République, les religions, l'espérance : entretiens avec Thibaud Collin et Philippe Verdin, Cerf, 2004 ; Pocket, 2005.
Témoignage, XO, 2006 ; Pocket, 2008.
Ensemble, XO, 2007.
La France pour la vie, Plon, 2016.

Nicolas Sarkozy

Tout pour la France

PLON
www.plon.fr

© Éditions Plon, un département d'Édi8, 2016
12, avenue d'Italie
75013 Paris
Tél. : 01 44 16 09 00
Fax : 01 44 16 09 01
www.plon.fr

ISBN : 978-2-259-25125-9

Au peuple français qui, seul,
décide de la voie qu'il choisit.
À tous celles et ceux qui,
chacun à leur manière,
ont inspiré ma réflexion
et mes engagements pour l'avenir.

Prologue

J'ai décidé d'être candidat à l'élection présidentielle de 2017. En conséquence je participerai à
la primaire de la droite et du centre. J'en respecterai
chacune des règles. C'est pourquoi, à compter de ce
jour, je quitte la présidence des Républicains. Je pars
à la rencontre des Français dans leur diversité pour
m'adresser à chacun d'eux et leur proposer un pacte
de confiance au service duquel je veux mettre toute
mon énergie, mon expérience et ma passion pour la
France. Je crois en la renaissance de la nation française. La France mérite qu'on lui donne tout.

* * *

Rarement dans ma vie ai-je aussi profondément
réfléchi aux conséquences d'une décision. J'ai hésité.
J'ai retourné les données du débat dans tous les sens.
J'ai essayé d'être le plus honnête possible vis-à-vis
des autres, de ma famille comme de moi-même. J'ai
consulté. J'ai écouté. Et finalement, j'ai décidé. Ce fut
comme un soulagement car l'évidence s'était imposée.

J'ai senti que j'avais la force de mener ce combat à un moment si tourmenté de notre histoire. Nous sommes en guerre contre un ennemi qui n'a aucune limite, qui veut nous atteindre dans notre cœur et nous priver de cette liberté que la France incarne et chérit depuis des siècles. Nous vivons une période où notre pays est confronté à une crise de crédibilité politique majeure, avec le sentiment que, chaque jour, l'autorité républicaine recule et notre économie décroche.

Il nous faudra affronter la gauche qui ne se laissera pas faire si facilement au moment de quitter le pouvoir, le Front national et ses dirigeants qui, comme à l'accoutumée, feront de moi la première de leurs cibles et une partie des élites si attachée à la pensée unique et à ses facilités dont je suis plus que jamais décidé à m'affranchir. Il faudra être fort durant le combat, et plus encore après.

Le niveau de tension, de désarroi, de colère que nous connaissons aujourd'hui est probablement l'un des plus forts que la France ait connu depuis des décennies. L'ampleur des défis qui nous attendent est vertigineuse. Les cinq années à venir seront celles de tous les dangers mais aussi de toutes les espérances. Il ne s'agira en rien d'un combat solitaire. Ce n'est pas un homme seul qui peut redresser un pays comme la France, mais c'est bien cet homme qui doit proposer les conditions du plus vaste rassemblement possible pour que tous les Français de bonne volonté, qui se refusent à voir leur pays céder et reculer, puissent prendre pleinement part à cette action de redressement national. Car c'est bien de cela qu'il s'agira, à l'image de ce que le général de Gaulle eut à mettre en œuvre en 1958.

J'ai la conviction que ce sera 2017 ou jamais, une forme de dernière chance. Rarement les conditions auront été ainsi réunies pour proposer des changements de si grande ampleur avec de véritables chances de réussite. Après les quatre années que nous venons de vivre, où le mensonge, l'immobilisme, le cynisme ont tant pénalisé notre pays, les Français sont prêts à entendre et à accepter des remises en cause et des avancées qui auraient été inimaginables par le passé. Comme si nous devions toucher le fond pour rassembler nos énergies et regarder enfin l'avenir avec confiance. Fidèles à leur histoire séculaire, à leur destin singulier, les Français ne sont jamais aussi courageux, clairvoyants, volontaires que lorsqu'ils se savent au bord du précipice. Et, de fait, la chute est plus sévère encore que ce que nous imaginons. Personne ne nous attend. La France décroche dans l'indifférence générale. Les autres avancent. Nous ne cessons de reculer. C'est pourquoi j'ai la conviction qu'il nous faut des idées neuves et ambitieuses, qu'elles seront la condition de la renaissance. Ces quatre dernières années, je n'ai cessé d'aller à la rencontre de nos compatriotes. Je ne crois pas qu'il y ait de meilleure manière de comprendre la France et les Français que d'aller chaque jour à leur rencontre. C'est en arpentant sans cesse les départements ruraux qu'on comprend l'angoisse de ceux qui y vivent et qui considèrent que la ruralité a été abandonnée. C'est en parlant directement aux patrons de PME que l'on mesure leur exaspération. C'est en écoutant des femmes qui élèvent seules leurs enfants, en échangeant avec des salariés au SMIC depuis des années, en voyant la détresse de tous ces jeunes qui ont joué le jeu du système scolaire et qui multiplient les petits boulots que l'on sait que notre société ne peut pas continuer comme cela.

J'ai beaucoup réfléchi sur ce point. J'ai eu l'opportunité de rencontrer des dirigeants politiques et économiques de premier plan. J'ai échangé durant des heures avec nos partenaires et nos concurrents. La France n'a pas moins d'atouts que les autres pays. Elle n'est pas condamnée à la deuxième division, à n'être qu'un spectateur de décisions prises de plus en plus sans elle. D'ailleurs, il est plus facile pour elle d'avoir de grandes ambitions que de se satisfaire de la médiocrité. Notre histoire, notre culture, notre identité nous portent à assumer naturellement un rôle universel et singulier. Les Français ne sont jamais plus heureux que lorsqu'ils sont fiers de la France. Je veux leur rendre cette fierté. Durant ces quatre dernières années, quand leur a-t-on donné la plus petite occasion de s'enorgueillir ? Le pessimisme français, le déclinisme français sont là, dans le sentiment justifié que notre pays n'assume plus la place et le rôle qui devraient être les siens sur la scène internationale. Car tout se tient. À ce déclassement international correspond bien une régression nationale.

J'ai toujours eu la passion du débat d'idées, de la recherche de nouvelles perspectives et surtout la volonté de convaincre. J'ai souvent dit les choses trop tôt. J'ai parfois péché sur la forme de mon expression, mais force est de reconnaître qu'il m'est arrivé de voir juste lorsque à contre-courant je parlais de notre identité nationale, que j'annonçais la sortie de la France de Schengen si rien ne changeait, ou encore quand j'appelais au retrait de la nationalité pour les Français qui avaient trahi la France.

Je crois que rien n'est plus important, dans la perspective de 2017, que d'apporter un contenu concret, précis, réaliste, ambitieux à cette attente d'idées nouvelles. Je me sens prêt à assumer ce rôle, fort de mon expérience comme Président et du recul salutaire que m'ont donné ces quatre dernières années éloignées de toutes responsabilités gouvernementales. J'ai conscience de la singularité de ma position. J'ai été élu et battu. J'ai connu le pouvoir et l'opposition. J'ai vécu le trop-plein des soirées de victoire et la solitude pesante des lendemains de l'échec. J'ai subi, parfois entretenu la courtisanerie propre à la victoire, et connu la trahison à la seconde où je n'ai plus incarné la perspective du succès. Loin de m'avoir aigri, ces expériences m'ont enrichi. Loin de m'avoir épuisé, elles m'ont renforcé. Loin de m'avoir désabusé, elles m'ont ouvert à la complexité des sentiments et des situations. Loin de m'avoir lassé, elles ont décuplé mon énergie et ma passion. Cela paraîtra sans doute paradoxal, mais j'avais besoin de traverser ces épreuves pour mieux saisir l'essentiel de la vie et des êtres humains. Pour dire les choses autrement, je crois que je ne me suis jamais senti aussi prêt. Cette fois il s'agira encore moins d'un enjeu personnel. J'ai été Président. Ce fut l'honneur de ma vie. Jamais je ne saurai dire aux Français combien je leur en serai éternellement reconnaissant. Mais en 2017 il s'agira de mettre au service de notre pays le meilleur de tout ce que j'ai compris et appris au travers des multiples rôles qu'il m'a fallu assumer. J'ai conscience aujourd'hui de l'immensité de l'enjeu collectif, et du caractère dérisoire de l'enjeu personnel. Je n'ai aucune revanche à prendre. Aucune querelle d'ego à régler, et surtout pas dans ma famille politique. Il m'arrive parfois de sourire en entendant les jugements si critiques de tous ceux qui étaient si enthousiastes à participer à notre action d'hier. Mais j'ai choisi de ne pas y accorder plus d'importance que cela n'en méritait. Les Français jugeront par eux-mêmes.

J'ai en revanche la certitude que je ne pouvais me dérober. Que je n'avais pas le droit de reculer devant l'obstacle, quelle qu'en fut la hauteur. 2017 n'aura rien de commun avec 2007. Dix années ont passé. Le monde a changé à une vitesse sidérante. J'ai l'ambition de proposer les idées et les solutions qui permettront à la France de retrouver sa place, et aux Français la confiance en l'avenir.

Le sujet du rassemblement des Français est primordial. Je sais qu'il y a beaucoup d'interrogations à ce sujet. Nombreux sont ceux qui l'imaginent impossible. Je ne partage en rien ce pessimisme. Bien au contraire, je n'avais jamais vu les Français s'opposer à ce point à toutes formes de sectarisme, de communautarisme, d'idéologie simpliste et arbitraire. Ce fut l'une des grandes erreurs de ce quinquennat finissant que de vouloir alimenter la division des Français entre privilégiés et défavorisés, modernes ou rétrogrades, généreux ou égoïstes. Quand on veut diriger la France, il faut l'aimer tout entière, la représenter dans sa diversité, être attentif à tous, même ceux qui ne vous ont pas choisi.

Il est temps d'engager un combat déterminé contre le multiculturalisme en lui opposant la culture du rassemblement. Ces quatre dernières années les Français ont subi la tyrannie des minorités. Le gouvernement socialiste fut si peu celui de la France et tellement celui des minorités. Celui qui a choisi de parler d'abord aux minorités, celui qui a le plus reculé devant elles, celui qui a laissé les Français être pris en otages par des syndicats minoritaires. On a fini par négliger la culture commune et nationale au profit de la juxtaposition communautariste des cultures particulières. Au gouvernement des minorités, pour les minorités, je veux opposer le gouvernement du peuple, pour le peuple, par le peuple. Je crois à la souveraineté populaire. Je veux parler au peuple français. Il est patriote, il veut la sécurité, il a compris qu'il fallait réduire l'immigration, il est contre l'assistanat, il est solidaire, généreux, ouvert, mais il n'acceptera plus que la République recule. Le peuple français attend que la politique reprenne enfin le contrôle sur son destin, il veut mettre fin au déclin de la France, il souhaite que cesse la remise en cause de ses valeurs, que l'action politique renoue avec les résultats.

La souveraineté populaire au service de la nation contre le multiculturalisme et la tyrannie des minorités, voilà l'un des grands débats d'avenir qu'il faudra trancher par l'élection.

Je veux rassembler et je m'en sens capable. J'ai beaucoup appris du passé. On m'a fréquemment reproché d'être « clivant ». Il a pu en effet m'arriver de provoquer inutilement. Je le regrette aujourd'hui, mais j'ai toujours préféré appeler les choses par leur nom, et refusé le déni, la peur de la réalité, le manque de courage chaque fois qu'il s'agit de la France. Croit-on vraiment que nous aurons la moindre chance de relever tous les défis qui nous attendent si nous nous complaisons dans un discours convenu, policé, éthéré, déconnecté de la vie réelle ? Je veux parler de ce que les gens vivent dans leur quotidien, à l'école, au travail, dans les transports en commun, dans leur famille. Aura-t-on la moindre chance de retenir l'attention des Français, et plus encore de regagner leur confiance si la société que nous décrivons n'a rien à voir avec celle dans laquelle ils vivent ?

Si l'on veut que le rendez-vous de 2017 soit déterminant, alors il faut tourner le dos à ce que fut la pratique de la gauche dès sa campagne de 2012. Souvenez-vous : il n'y avait pas de crise ou si peu qu'elle allait cesser comme par magie avec l'arrivée de la gauche au pouvoir. Il n'y avait nul besoin de repenser notre système social, l'immigration n'était tellement pas un sujet qu'il fallait accueillir la Turquie en Europe, parler de l'islam, c'était être islamophobe, évoquer la sécurité quotidienne, c'était être populiste. Où nous a menés le déni dans lequel s'est enfermé le pouvoir en place depuis près de cinq ans ? Au pire, car à force de repousser les problèmes, de les nier, de les enterrer, ils n'ont fait que s'aggraver, s'amplifier, se démultiplier. Le peuple n'est pas dupe. Il est chaque fois un peu plus en colère, non pas seulement qu'on n'ait pas trouvé la solution, mais qu'on ait même refusé de faire droit à sa souffrance en étant incapable de décrire ce qui n'est que la réalité. Or la réalité, c'est l'angoisse des Français quant à la pérennité de la France. Chacun se demande s'il pourra transmettre à ses enfants et à ses petits-enfants ce qu'il a reçu de ses grands-parents et de ses parents : sa culture, son mode de vie, sa langue, ses paysages. Face à cette réalité, nous avons un devoir de lucidité.

C'est la raison pour laquelle je veux affirmer qu'il n'y a pas d'identité heureuse tant qu'on ne réaffirme pas que l'identité de la France est toujours plus importante que les identités particulières. Il n'y a pas d'identité heureuse quand des milliers de Français nés en France, élevés en France en viennent à haïr à ce point leur patrie. Il n'y a pas d'identité heureuse lorsque les règles de la République sont à ce point bafouées. Il n'y a pas d'identité heureuse lorsqu'on accepte des accommodements « raisonnables » par souci prétendu d'apaisement. Il n'y a pas d'identité nationale heureuse quand la politique menée conduit à ce qu'il n'y ait plus une seule France, mais une agrégation de communautés, d'identités particulières, où le droit à la différence devient plus important que la communauté de destin.

Il n'y a pas d'identité heureuse pour les 6 millions de chômeurs qui, regardant l'Allemagne, la Grande-Bretagne ou les États-Unis, se demandent désespérés pourquoi le plein-emploi est possible chez les autres et impossible en France. Notre République est née d'un besoin d'unité. C'est notre histoire et notre tradition. Tout basculement dans un autre modèle serait à ce point contre nature qu'il ne pourrait que préparer des affrontements dévastateurs.

Affirmer que l'identité française est centrale, ce n'est pas opposer les uns aux autres. Ce n'est pas durcir le débat politique, au contraire. C'est mettre la vraie vie au cœur de ce qui doit devenir une véritable politique. C'est rester fidèle à ce que nous sommes, à ce qu'a toujours été la France, à ce sur quoi elle s'est construite. Combien faudra-t-il de catastrophes, de drames, de générations perdues pour que nos élites se réveillent ? La seule identité qui m'importe, la seule légitime à mes yeux, c'est celle de la France.

Le débat de 2017 devra résolument tourner le dos à tous ces non-dits, à toutes ces approximations, parfois même à certaines de nos lâchetés. Au fond, nous avons cinq grands défis à affronter. Celui de la vérité. A-t-on une chance raisonnable d'être élu en assumant de dire tout avant l'élection pour être certain de tout faire après ? Celui de l'identité. Peut-on défendre le mode de vie français sans se recroqueviller, sans se rabougrir, sans se couper du reste du monde ? Celui de la compétitivité. A-t-on encore une chance de compter, d'exister dans la compétition mondiale féroce d'aujourd'hui ? Celui de l'autorité. Peut-elle exister dans une société où la loi de la République ne s'applique plus dans de nombreux quartiers, où l'autorité du maître à l'école n'a jamais été autant remise en cause, où des minorités gagnent leur chantage contre le pouvoir en place, où l'État s'affaiblit jour après jour ? Et, enfin, celui de la liberté. Peut-on encore faire confiance à l'homme et à sa capacité à faire par et pour lui-même les bons choix ?

Telles sont les grands défis auxquels j'ai l'ambition d'apporter des réponses. Si, une fois encore, j'ai choisi l'écrit, c'est pour montrer à quel point je suis engagé, impliqué, immergé dans ce combat. Les paroles s'envolent, les écrits restent. Le dicton populaire dit vrai. Écrire, c'est ma façon de démontrer l'authenticité et la détermination de ma démarche. Rien n'est possible sans sincérité. Chacun doit bien être certain de ma volonté d'aller le plus loin possible dans la recherche du meilleur pour la France.

Avec *La France pour la vie*, j'ai voulu tirer les leçons de mon quinquennat en revenant sur le passé. Aujourd'hui il s'agit de l'avenir, celui de la France, et celui de chaque Français. Ce livre sera donc la référence de mon action future. Il m'engage comme il engagera chacun de ceux qui partageront ces idées et soutiendront ma démarche.

Tout au long de ces pages, je me suis fixé la règle d'être le plus sincère sur les idées comme sur les hommes, et le plus concret possible. J'ai voulu fixer des priorités intangibles en indiquant les principales mesures qui devront être mises en œuvre. Mais mon objectif n'est pas de présenter un programme de gouvernement dans ses moindres détails. L'expérience que j'ai de l'exercice du pouvoir m'incite à reconnaître le caractère souvent imprévisible des situations. Comment pourrait-on annoncer droit dans les yeux aux Français le contenu exhaustif de cinq années d'action à venir dans un monde devenu à ce point complexe et inter-dépendant, soumis constamment aux secousses et aux crises ? La France a vécu ces derniers mois des tragédies qui marqueront pour de longues années l'action de ses gouvernants. L'Europe connaît après le Brexit une crise dont les répliques ne sont probable-ment pas encore toutes connues. Les tensions sont présentes partout dans le monde, et notamment chez nous en Europe, où nous sommes confrontés à la plus grave crise migratoire depuis la Seconde Guerre mon-diale. Nous ne pouvons pas ignorer ce contexte à haut risque. Il nous faut tirer les leçons du déni profond de réalité dont a fait preuve celui qui m'a succédé. Nous n'avons pas le droit de donner le sentiment aux Français d'être déconnectés de cet environnement qui pèse tant sur notre pays.

Ce livre est le point de départ du prochain mandat. Face à tant de défiance à l'égard de la parole publique, je veux convaincre des millions de Français que le débat de la campagne doit s'intégrer à part entière au futur mandat présidentiel. Car, en disant tout avant, nous aurons la légitimité pour tout faire après. Rien ne sera possible sans cette exigence de clarté.

I

Le défi de la vérité

C'est délibérément que j'ai choisi d'évoquer cette question dès le commencement. Car elle est centrale au sens où elle conditionnera tout le reste. Il nous faut revenir aux fondamentaux de la démocratie. L'élection présidentielle, c'est le choix d'un homme et d'une politique pour les cinq ans. C'est un mandat donné par le peuple à celui ou à celle qui aura la mission de les conduire. Plus le mandat sera clair et précis, plus la mise en œuvre en sera facilitée. À l'inverse, les ambiguïtés et les compromis d'une campagne se payent au prix le plus fort une fois aux responsabilités. Tout dire donc, non pour mobiliser, non pour provoquer, non pour diviser, mais pour être autorisé à scrupuleusement réaliser tout ce à quoi nous nous serons engagé. C'est la seule façon de contourner efficacement tous les immobilismes et tous les conformismes français. Ainsi, dûment informé, chacun pourra exprimer son vote en toute connaissance de cause. Rien n'est plus puissant que la légitimité que confère une élection à la condition expresse de prendre le soin de demander un mandat clair. Je sais qu'en disant cela, je vais susciter le scepticisme et l'ironie de tous ceux qui considèrent qu'il n'y a pas d'élection sans promesses, sans démagogie, sans mensonges. Innombrables sont d'ailleurs les exemples qui pourraient illustrer ce jugement. Pourquoi, dans ces conditions, l'élection de 2017 obéirait-elle à un schéma et à des règles différentes, ou échapperait-elle à cette fatalité ? Tout simplement parce que la France ne peut plus se permettre le moindre retard. Nous ne le pouvons ni au plan financier du fait du poids de notre endettement, ni au plan politique parce que les Français en ont tant vu et tant entendu qu'il est devenu parfaitement inutile de leur masquer la réalité, la montée de tous les extrêmes s'étant déjà trop nourrie de cette démission collective. 2017 obéira à une logique entièrement nouvelle. Le choix de la vérité devra s'imposer.

La France n'est pas, et de loin, le seul pays confronté à cette problématique. Dans toutes les grandes démocraties, les symptômes du refus de la pensée unique et de la pratique du mensonge s'étalent à longueur de résultats électoraux. La difficulté, c'est que cette réaction, et ce n'est pas le moindre des paradoxes, s'exprime le plus souvent au bénéfice des plus bruyants, des plus violents. Du Podemos espagnol à l'extrême gauche grecque, en passant par le clown italien jusqu'à l'émergence d'un Donald Trump, la planète offre pléthore d'exemples de cette nouvelle dérive. Or c'est une certitude constante pour moi qu'on ne combat pas la pensée unique par la pensée fausse. Les Républicains de tous bords doivent donc trouver la voie étroite entre les trop bons sentiments de la pensée unique et les raisonnements simplistes du populisme.

Il n'y a donc pas d'alternative à la décision à affronter ce prochain grand rendez-vous en s'efforçant de coller au plus près de l'analyse lucide des faiblesses françaises pour y apporter le remède le plus approprié en ampleur et en intensité. Je sais pertinemment que le parler vrai est toujours dangereux. Parce qu'il est plus risqué de remettre en cause les vaches sacrées que de les glorifier. De heurter les tenants de la bonne conscience lorsqu'on évoque les sujets les plus difficiles. Surtout lorsqu'on voit combien les réseaux sociaux peuvent parfois porter à la caricature.

Et pourtant ces réserves méritent d'être balayées par l'ampleur des enjeux.

Sachons tirer parti de la brèche salutaire qui s'est ouverte dans le « mur » de la pensée unique pour réussir à changer la France. Car c'est bien au moment où la mainmise idéologique de la gauche sur le débat public se fissure de toutes parts qu'il serait particulièrement coupable de nous cantonner à un discours accommodant, faussement rassurant, et complètement ignorant des périls à venir. En quelque sorte, faisons de cette crise de notre modèle démocratique une opportunité pour que soit rattrapé le retard français. Que l'on me comprenne bien : je n'ai aucunement l'intention de remplacer l'idéologie sectaire d'une certaine gauche par une autre idéologie qui pour lui être opposée en présenterait les mêmes caractéristiques. Surtout ne soyons pas aussi idéologues, dogmatiques, systématiques que ceux que nous combattons. Sachons notamment garder l'humanité qui doit prévaloir quand on évoque l'avenir de la France. La vie est difficile pour tant de nos compatriotes. Les êtres humains ne sont pas des machines et le stress qu'ils subissent au quotidien ne peut être ignoré. Nous devons être attentifs aux innombrables souffrances que génère notre société. C'est sur nous que reposera l'entière responsabilité de regarder la réalité du monde d'aujourd'hui pour être capable d'y faire face.

Prenons garde à l'inverse de ne pas chercher à gommer artificiellement les grands débats qui nous opposent à la gauche. De ce point de vue, combien est édifiant l'exemple de la dernière élection présidentielle autrichienne. Le résultat du gouvernement de grande coalition rassemblant la gauche et la droite pendant plusieurs années a conduit à voir l'extrême droite cumuler à 35 % des suffrages, les partis de gouvernement se traînant à 11 %. Tout cela est la conséquence d'un débat cadenassé, d'une gauche et d'une droite qui n'assument pas leurs convictions, d'un système démocratique où règne le politiquement correct et d'une pensée molle « un peu de gauche » et « un peu de droite ». Le peuple autrichien ne s'est plus senti représenté, il a donc tapé du poing sur la table en plaçant en tête au premier tour de la présidentielle le leader d'extrême droite. Est-on certain que cela ne pourrait pas nous arriver ? Je crois que les mêmes causes produiraient les mêmes effets. Cela peut donc arriver en France. Voilà pourquoi, pour conjurer ces vents mauvais, je souhaite que la campagne de 2017 soit celle de la vérité, et que par-dessus tout l'alternance soit franche et juste.

2017 doit marquer la fin du déni français de la réalité.

Le premier de ces dénis, le plus fameux, le plus constant, le plus lourd de conséquences concerne le travail. Au lieu d'être considéré comme un lieu d'épanouissement de la personne, un moyen de conquérir sa liberté, un instrument privilégié de la promotion sociale et d'émancipation, il est devenu au fil de ces trente-cinq dernières années le symbole de l'aliénation, de la marchandisation, de l'exploitation de l'homme par l'homme. L'ambition de donner un travail à chacun fut remplacée par celle, hautement contestable, de « libérer » l'homme du travail. D'où l'obsession de la gauche et même d'une partie de la droite pour la réduction du temps de travail. L'objectif étant que chacun travaille le moins possible pour pouvoir profiter de la « vraie vie » qui, elle, serait « en dehors » du travail. Les promoteurs de cette politique ont réussi au-delà de ce qu'ils espéraient, mais avec le chômage de masse ! De moins en moins de gens travaillent. Et parmi ceux qui ont un emploi, nombreux sont ceux qui s'accrochent désespérément à ce qui leur est présenté comme un privilège, se raidissant instantanément à l'évocation du moindre changement. Avec l'obsession du travailler moins, nous avons subi l'économie du moins d'emploi. C'est le travail qui crée le travail. Le partage du temps de travail est une idée fausse. Plus le travail est bridé, plus il y a de chômeurs. Il n'est pas exagéré de dire que les 35 heures pour tous, rigides, mécaniques, appliquées dogmatiquement, ont constitué la plus grande erreur économique que la France ait connue sans doute depuis le lendemain de la Seconde Guerre mondiale. Nous en payons encore aujourd'hui le prix astronomique. Personne dans le monde n'a suivi cette folle direction. Nous nous sommes retrouvés seuls à exiger de travailler moins alors que nos concurrents travaillaient de plus en plus. Résultats, les Allemands, les Britanniques, les Américains connaissent le plein-emploi, nous subissons le « plein-chômage ». Au lieu de consacrer notre énergie à travailler mieux, à davantage protéger la santé au travail, à lutter contre le stress destructeur, à veiller à la qualité de vie dans l'univers professionnel, nous avons fait entièrement fausse route en ne considérant que la « quantité de travail », alors qu'il y avait tant à mettre en œuvre s'agissant de la « qualité du travail ». Les travailleurs, les ouvriers, les salariés français ne l'ont pas seulement payé d'un chômage de masse, mais également de revenus de leur travail bien trop faibles. Car bien évidemment lorsqu'on travaille moins, on gagne moins. Et c'est ainsi que l'on a vu progressivement émerger une nouvelle classe de citoyens : les travailleurs pauvres. C'est-à-dire ceux qui travaillent dur et qui pourtant avant la fin du mois n'ont plus un centime pour faire vivre leur famille. Circonstances aggravantes puisque le travail ne payait plus, les revenus de l'assistance sont venus « déclasser » un peu plus l'idée que l'on se faisait du travail. D'où l'exaspération, et le mot est faible, du travailleur pauvre constatant que notre société marche à l'envers puisqu'en ne travaillant pas on peut finalement avoir le même revenu qu'en travaillant. On serait découragé pour moins que cela. Une fois encore le résultat fut édifiant : des chômeurs en masse, des salaires en berne, des finances plombées par l'explosion des dépenses liées à l'assistanat. Ce fut une catastrophe économique et sociale d'une ampleur inédite. À cela s'est ajouté un esprit public littéralement perverti par l'addition de toutes ces idées fausses. Les fonctionnaires de la direction du travail reçurent comme mission de poursuivre ceux qui travaillaient trop. Quel autre pays pouvait donner un pareil spectacle ? Et ceux de nos compatriotes qui, envers et contre tout, continuaient à travailler plus que ce qui était autorisé ne cessaient de s'excuser de ce comportement « déviant » et, au minimum, expliquaient à qui voulait l'entendre que leurs intentions n'étaient en aucun cas de vouloir gagner davantage... Comme si souhaiter plus n'était pas somme toute naturel ! Comme si l'aspiration à la promotion sociale pour soi-même comme pour sa famille avait fini par devenir suspecte aux yeux de la bien-pensance.

L'évidence est donc bien celle-ci : puisque nous ne travaillons pas assez, du moins en moyenne, il va falloir travailler davantage. Davantage dans la semaine, davantage dans la vie, davantage dans nos administrations. Faire campagne en expliquant aux Français qu'il va falloir travailler plus peut certainement paraître provocant ou du moins étrange. Et pourtant la réalité est là. Il faudra travailler plus ou accepter la disparition de la France comme puissance économique, et le chômage de masse comme une fatalité. Mais qui pourra accorder le moindre crédit à celui qui osera prétendre que ces efforts en direction du travail ne sont pas tout simplement vitaux ? J'affirme qu'il n'y a en la matière aucune alternative possible.

J'avais cru résoudre le problème des 35 heures avec la libéralisation des heures supplémentaires et leur défiscalisation. Je voulais redonner au travail toute sa valeur, et surtout qu'il soit mieux rémunéré. Ce fut un succès indéniable puisque 9 millions de travailleurs en bénéficièrent. Aujourd'hui encore, il m'arrive d'être impressionné par la trace profonde qu'a laissée cette mesure dans le monde du travail, et tout particulièrement chez les salariés les plus modestes. Pas une visite d'usine où l'on ne me demande si nous les rétablirons au moment de l'alternance. Je n'ai jamais vu de ma vie politique une décision économique à ce point plébiscitée par ses bénéficiaires. Alors, oui, nous rétablirons la liberté de donner des heures supplémentaires et nous confirmerons leur défiscalisation, car il s'agit d'un cercle vertueux que celui qui permet de gagner plus lorsque l'on travaille davantage. Mais il faudra aller plus loin pour tenir compte de l'inquiétante dégradation de notre économie. Chaque entreprise aura désormais le droit de déterminer librement le temps de travail de ses salariés, et donc le moment où l'on passera des heures normales aux heures supplémentaires. Il s'agira d'un choix libre et responsable. Il n'y aura plus une durée unique du travail hebdomadaire. Chacun fera au mieux de ses intérêts ou de sa situation. Il n'existera que deux conditions. La première sera d'obtenir l'accord des salariés de l'entreprise concernée. J'ai bien dit des salariés, pas simplement de leurs représentants. La politisation du mouvement syndical français rend actuellement absolument impossible tout changement d'ampleur. S'agissant de la durée du temps de travail, le référendum d'entreprise deviendra donc la norme quand il n'y aura pas eu d'accord avec les représentants syndicaux. Après tout, quoi de plus naturel que de se fier aux chefs d'entreprise et à leurs salariés pour déterminer la durée adaptée à la situation de l'entreprise et aux souhaits des salariés. Naturellement, s'ils le souhaitent, ils pourront également choisir de demeurer aux 35 heures. La seconde contrainte est celle de la rémunération. J'y tiens tout particulièrement. Je n'accepterai jamais que l'on puisse expliquer la crise économique française par le fait que les salariés auraient des salaires trop élevés. Affirmer cela est injuste et totalement infondé. Injuste parce que l'on ne peut pas décemment prétendre que lorsque l'on gagne moins de 1 200 euros par mois on gagne trop. Infondé parce que les salariés du bas de l'échelle économique sont les victimes de la crise, en aucun cas les responsables. C'est la raison pour laquelle la liberté de choisir le temps de travail sera couplée avec l'obligation de payer chaque heure travaillée. Cela sera donc 35 heures payées 35, 36 payées 36, 37 payées 37... Je sais que, dans ma famille politique, certains ne partagent pas cette idée, et souhaitent que les salariés restent payés pour 35 heures, même s'ils passent à plus de 35 heures par semaine. J'y suis totalement opposé : je suis toujours un fervent partisan du travailler plus pour gagner plus, pas pour gagner moins. Avec ce système, tout le monde y trouvera son compte.

Les entreprises bénéficieront de la souplesse qu'elles réclament pour s'adapter aux fluctuations du carnet de commandes. Les salariés bénéficieront d'une hausse vertueuse de leur pouvoir d'achat. Et l'État engrangera les recettes supplémentaires de TVA que générera l'augmentation de la consommation et de la croissance.

Enfin, je souhaite que nous adoptions un tout nouveau raisonnement s'agissant de l'allégement des charges. D'abord, je ne crois nullement à la possibilité de supprimer les plus de 11 milliards d'allégements de charges déjà prévues pour les 35 heures. Personne ne comprendrait que, au nom du redressement de la compétitivité de nos entreprises, nous commencions par leur rajouter 11 milliards de charges. Cela n'aurait aucun sens. Mais nous irons, ici aussi, plus loin en inversant complètement la logique des allégements de charges actuelles. Martine Aubry avait mis en place un système perverti : moins on travaillait, plus il y avait d'allégement de charges. Je souhaite la procédure inverse, plus on travaillera, plus il y aura d'allégements de charges. Comme on le voit, il ne s'agira pas pour nous de seulement discourir sur l'importance de la valeur travail mais de l'encourager, de la récompenser, de la valoriser et de l'augmenter de façon concrète et tangible.

Les seuls perdants seront ceux qui pensent que le travail n'est pas une des finalités de la vie ou que la société peut faire à leur place les efforts attendus d'eux. Je suis décidé à assumer très clairement le choix qui consiste à dire que la solidarité doit s'adresser à ceux qui souffrent, et qui en dépit de leurs efforts personnels n'arrivent pas à s'en sortir, pas de supporter tous ceux qui veulent profiter d'un assistanat dévalorisant, à bout de souffle et devenu inacceptable tant pour des raisons morales que financières. Je crois à la solidarité car j'ai appris avec l'expérience qu'un jour ou l'autre chacun peut mettre un genou à terre. Personne n'est à l'abri d'un problème de santé, d'un handicap, d'un échec professionnel, d'une rupture dans sa vie personnelle qui balaiera tous les équilibres patiemment construits. Chacun peut donc un jour ou l'autre éprouver le besoin ou la nécessité de faire appel à la solidarité de la société pour lui-même ou pour ses proches. Il n'y a nulle honte à cela. Cette solidarité est une nécessité, une obligation, un marqueur de civilisation. Mais prenons garde à ne pas laisser ce mot perdre toute signification à force d'être utilisé à tort et à travers. La solidarité, ce n'est pas qu'un conducteur de TGV parte à la retraite dix années avant tous les autres salariés comme si nous étions encore au temps de la machine à vapeur. La solidarité, ce n'est pas que des catégories entières de la fonction publique ne travaillent même pas 35 heures ou qu'il y ait des règles différentes de jours de carence en cas d'absentéisme ou de calcul de la retraite. La solidarité ne s'exprime pas davantage dans les excès et les injustices du système des intermittents du spectacle. Je pourrais citer tant d'autres exemples de cas devenus insupportables dans notre société. Ici encore, il s'agit bien de vérités qui n'étaient pas bonnes à dire, devenues autant de symboles qui devront marquer notre détermination pour notre action future.

Mais cela m'oblige à préciser qu'après avoir travaillé davantage dans la semaine, il faudra en faire autant au long de la vie. Ici aussi, les chiffres expriment une réalité difficilement contestable. Avec l'allongement de la durée de la vie – rien moins qu'un trimestre de plus chaque année à la naissance –, le report continu et, au moins, proportionnel de l'âge de départ à la retraite est inéluctable. En effet, comme nous vivons plus longtemps, il faut cotiser soit davantage en montant, soit davantage en durée. Or l'augmentation des cotisations n'est pas envisageable : celles-ci sont déjà si élevées qu'elles pénalisent la compétitivité des entreprises et le pouvoir d'achat des salariés. La seule solution est donc le report de l'âge du départ à la retraite autorisé. La réforme que nous avions conduite en 2010, avec Éric Woerth, avait permis grâce « aux 62 ans » de rééquilibrer les comptes de l'assurance vieillesse. Pour l'avenir, il faudra reporter l'âge de la retraite à 63 ans en 2020, et à 64 ans en 2025. Je précise d'ailleurs que passer à 63, puis à 64 ans, mais rapidement, représentera bien plus d'économies que de passer à 65 ans en prenant son temps. Soixante-cinq ans soulèvera tellement d'opposition que le Président qui voudra le mettre en place négociera en contrepartie un calendrier de mise en œuvre lointain, sans compter toutes les contreparties multiples qui seront concédées pour faire accepter aux Français l'âge de 70 ans pour tous ceux qui n'auront pas tous leurs trimestres – cette seconde borne d'âge, dite de la retraite à taux plein, qui était de 65 ans atteignant déjà 67 ans avec la réforme de 2010. Or ce qui rapporte des économies en matière de retraite, c'est de passer le plus vite possible à un nouvel âge, pas d'atteindre 65 ans dans des lustres. Le rythme de montée en charge compte plus que le point d'arrivée. C'est ce que nous avions fait en 2010, en retenant la rapidité plus élevée d'Europe en matière de réforme des retraites quand nous sommes passés de 60 à 62 ans avec, à la clé, 22 milliards d'euros d'économies.

Affirmer aussi clairement que nous élèverons de nouveau l'âge de la retraite permettra de considérer que le débat sera tranché par l'élection de 2017 et qu'il n'y aura donc pas lieu d'y revenir. Seront ainsi largement épargnées à la France les dix manifestations nationales d'opposition à la réforme que nous avons connues en 2010, les blocages, les contestations incessantes de ce qui était pourtant devenu une évidence. Qu'il ne se soit pas trouvé à l'époque un seul responsable syndical pour assumer la décision de la fin de la retraite à 60 ans est proprement stupéfiant. Comment mieux illustrer l'inanité du débat en France où postures et arrière-pensées politiciennes empêchent toute possibilité de construire un nouveau modèle social ? Les blocages qui ont touché le pays lors du débat sur la loi El Khomri ont illustré cette incapacité à dialoguer. C'est la raison pour laquelle j'avais fait voter, dès 2007, la loi sur le service minimum dans les transports, pour éviter que notre pays ne soit paralysé en période de grève. Si cette loi n'existait pas, la situation dans les transports serait bien pire aujourd'hui. Je souhaite que demain nous allions plus loin en étendant la logique du service minimum à tous les secteurs essentiels pour les

Français, à commencer par celui des raffineries, des centrales nucléaires et du secteur aérien. Les blocages de la France par une minorité activiste ne sont plus acceptables. Ainsi plus personne ne pourra prendre les Français en otages.

Ici encore, la refondation de notre démocratie sociale ne peut plus attendre. Divisées, politisées, peu représentatives de l'ensemble des salariés, polarisées sur la défense des seuls statuts, nos organisations syndicales sont trop faibles pour pouvoir assumer des choix forts et constructifs. Il faudra donc tout restructurer et provoquer une profonde réorganisation de notre démocratie sociale. La première décision, et sans doute la plus forte, consistera à supprimer cette étrange singularité qui veut que dans notre pays, au premier tour des élections « professionnelles », seules les grandes centrales syndicales aient le droit de présenter un candidat. Le plus stupéfiant étant que cette notable exception au fonctionnement de la démocratie ait fini par ne plus choquer personne. Car enfin imagine-t-on une élection où seuls pourraient se présenter les candidats du parti Les Républicains et du parti socialiste ? Je veux donc annoncer qu'à l'été 2017 le monopole de candidature au premier tour des élections professionnelles des organisations syndicales confirmé au lendemain de la Seconde Guerre mondiale sera supprimé. Les candidatures seront donc libres comme il se doit dans une démocratie digne de ce nom. Dans le même mouvement, nous allons supprimer la possibilité pour un syndicat de nommer des délégués syndicaux quand ils ont été préalablement battus par le suffrage des salariés. Une nouvelle fois, il s'agit d'une pratique choquante puisqu'elle autorise les syndicats à s'exonérer des conséquences du suffrage universel. En 2017, il y aura bien évidemment des partenaires sociaux, mais leurs délégués devront d'abord avoir été élus pour pouvoir être ensuite nommés. J'entends déjà les commentaires exaltés de tous ceux qui vont m'accuser d'antisyndicalisme forcément primaire. Or il s'agit justement du contraire. Grâce à ces deux mesures fortes, nous allons régénérer le paysage syndical français en donnant aux salariés – à tous et pas seulement à ceux de la fonction publique – la possibilité d'être défendus par des organisations puissantes car enfin devenues représentatives, et surtout libérées de ces liens politiques qui finissent par trahir la mission syndicale, laquelle ne devrait en rien ressembler à celle d'un parti.

À cela s'ajoutera notre volonté de privilégier systématiquement l'accord d'entreprise de préférence à tout autre niveau de discussion, et pas seulement s'agissant du temps de travail. Nous devons à toute force réussir à tourner la page de la confrontation systématique, de la lutte des classes, de la caricature des rapports entre dirigeants et salariés pour nous tourner résolument vers l'avenir, c'est-à-dire vers une démocratie sociale reposant sur la concertation et le partenariat. Or l'entreprise est le niveau le plus adapté pour faire émerger ces nouvelles relations, car les interlocuteurs se connaissent, se côtoient chaque jour et se respectent dans l'immense majorité des cas. Cela ne signifie pas qu'il n'y aura plus d'accords de branche, mais que ceux-ci demeureront l'exception pour les seuls secteurs économiques où les entreprises, se comptant par milliers, ont besoin de normes fixées au niveau de cette dernière.

Le débat sur le rôle et la place des syndicats ne pourra pas être occulté en 2017 car il conditionnera l'ampleur des réformes qu'il nous faudra promouvoir.

Je tiens à préciser les raisons de mon opposition de principe au « paritarisme ». Ce paritarisme que je considère comme l'une des causes de l'immobilisme français. Car il ne s'agit pas dans notre pratique nationale de faire des compromis pour avancer, mais bien au contraire pour que rien ne bouge. Chacun étant censé obtenir quelque chose pour ne pas perdre la face, la montagne accouche en général d'un monstre de complexité et d'incohérences. À chercher à satisfaire tout le monde, on finit par désespérer chacun. Il s'agit en fait d'une pratique contre nature, les syndicats ayant la mission de défendre les intérêts de leurs mandants. Ils ne peuvent donc être et les « gestionnaires » et les « revendicants ». De surcroît, le changement de dirigeant chaque année renforce l'opacité du système et son ingouvernabilité, d'autant plus choquante que des décisions fortes et rapides s'imposent. En l'état actuel des choses, elles sont impossibles. Au minimum, l'État devra, sans tarder, reprendre le contrôle de l'assurance chômage qui atteindra en 2018 un endettement de 35 milliards d'euros, soit pas moins de l'équivalent d'une année entière de cotisations ! Notre système d'indemnisation n'a nullement les moyens d'attendre la conclusion d'un hypothétique accord entre partenaires sociaux. Il y a urgence à décider et à redresser les comptes. C'est maintenant à l'État d'assumer ses responsabilités en reprenant la gestion de l'assurance chômage. Il sera toujours temps, une fois les comptes rétablis, d'en confier de nouveau les clefs à ces mêmes partenaires sociaux.

Entre-temps, nous n'aurons d'autre alternative que de décider d'un changement radical, en assumant le choix d'une réelle dégressivité des allocations chômage. Là encore, la précision est indispensable tant le sujet est sensible. Nous sommes en France, et, chez nous, on tend la main à quelqu'un qui a perdu son emploi. Nous ne serons jamais les États-Unis. Là-bas, si l'on perd son emploi et que l'on n'en occupe pas un nouveau rapidement, il est possible de se retrouver sans rien. Dans la société américaine, on est fort ou on est faible. On peut tout gagner, et aussi tout perdre. Cette philosophie présente bien des côtés positifs, mais elle engendre aussi beaucoup de souffrances. Elle n'est en tout cas pas adaptée à nos sociétés européennes et à notre histoire sociale. Nous respectons davantage la personne dans sa singularité. L'argent n'est pas le moteur de toutes choses. Nous pensons à juste titre que chacun a le droit à un minimum pour vivre, et que la civilisation doit être mise au service d'une lutte contre la brutalité, la violence, le tout ou rien. C'est pour cela que notre système a été mis en place, afin que chacun puisse bénéficier de filets de sécurité pour lui et sa famille. Cette philosophie, loin d'être partagée partout, est à l'honneur de la France. La Sécurité sociale, d'ailleurs voulue et créée par le général de Gaulle, est un acquis non pas social mais de civilisation, sur lequel nous ne devrons jamais revenir. C'est un progrès qui garantit à chacun de pouvoir être soigné, indemnisé, de bénéficier d'une retraite minimum. Nos principes ne sont donc, du moins dans mon esprit, nullement en cause. Nous nous trouvons cependant devant deux difficultés majeures. La première est d'ordre financier. Les déficits s'accumulent. Les pertes sont abyssales. Il faut y mettre un terme, sauf à vouloir courir le risque que le système n'implose sous le poids des déficits. La seconde concerne la population active. Ceux qui travaillent ne peuvent assumer autant de charges, de taxes, d'impôts qui pèsent d'un poids chaque jour plus lourd. Aider ceux qui n'ont plus rien ne peut se payer du prix d'une telle ponction sur le revenu de ceux qui travaillent. Il ne s'agit plus alors d'un devoir de solidarité mais d'une action délibérée de spoliation des classes moyennes, car c'est bien ces dernières qui, au final, sont toujours mises à contribution. Or il n'y a aucune économie prospère possible si les salariés, les commerçants, les professions libérales, les artisans, les fonctionnaires ne se sentent pas considérés, encouragés, respectés.

Le système est ainsi arrivé au bout de sa logique financière et politique. Pour sauver les uns, nous faisons trop souvent plonger les autres. Au final, il y a bien trop de perdants. Un coup d'arrêt est inévitable pour éviter les excès et les effets pervers qu'a fini par générer notre organisation. Nous devons réaffirmer un principe simple et pourtant essentiel : le devoir de travailler passe avant le droit à l'indemnisation et non l'inverse, comme c'est souvent devenu la norme aujourd'hui. Pour les personnes concernées, rester le moins longtemps possible au chômage, c'est leur éviter de s'enfermer dans une inactivité qui les éloigne progressivement du marché du travail et finit par les isoler, avec toutes les conséquences que cela a également sur leur famille et leurs enfants. Imaginer vivre des revenus de l'assistance sans limite de temps n'est pas acceptable. Bien évidemment, innombrables sont les chômeurs qui n'ont pas choisi mais qui subissent cette bien peu enviable situation. Ne serait-ce que par respect pour eux, je refuse toute caricature ou simplification hâtive. Mais, à l'inverse, il serait aussi réducteur de contester cette réalité qui fait que notre système génère beaucoup trop de fraudes et décourage par comparaison ceux qui continuent à travailler à tout prix. Il convient de remettre les choses à l'endroit.

Tout doit être fait pour que chacun trouve un travail ou au moins bénéficie d'une formation qualifiante. Tout doit être fait pour que le travail soit toujours plus rémunérateur que les allocations.

C'est la raison pour laquelle je crois indispensable de mettre en œuvre deux réformes pour relancer dès l'été 2017 les créations d'emplois dans le secteur privé, compléments indispensables de la baisse des charges pesant sur les salaires et de la réforme du marché du travail.

La première sera de prévoir une dégressivité des indemnités de chômage, comme c'est le cas par exemple en Suède ou en Italie, deux pays bien éloignés des caricatures libérales. Au bout de douze mois d'indemnisations, celles-ci diminueront donc de 20 %. Au bout de dix-huit mois, elles diminueront de nouveau de 20 %. Le délai d'une année avant toute dégressivité me semble nécessaire pour donner à chacun le temps de se retourner après le « choc » du chômage. Une dégressivité qui surviendrait trop tôt me paraît injuste. Mais je tiens à préciser que nous serons très fermes dans l'application, qui n'est pas faite aujourd'hui, de l'obligation d'accepter des offres d'emploi raisonnables, c'est-à-dire proches des qualifications de la personne concernée dans la zone géographique où elle réside.

Aujourd'hui, les contrôles sont notoirement insuffisants et les abus légion. Tout cela se faisant une nouvelle fois au détriment de ceux qui travaillent, font vivre le système par leurs cotisations, et qui supportent de plus en plus mal cette injustice. Refuser par deux fois un emploi ou une formation qualifiante sans raison sérieuse doit avoir pour conséquence la suspension de toutes allocations. À l'inverse, accepter un travail ne doit jamais engendrer une baisse de revenus par rapport à la situation d'assistance dans laquelle on se trouvait précédemment. En conséquence, la deuxième réforme impérieuse de notre système social consistera à mettre fin à la situation dans laquelle le travail paye moins que les revenus d'assistance. Je veux substituer aux différentes aides existantes (RSA, aide au logement, prime d'activité) une aide unique qui aura deux caractéristiques essentielles. Elle sera conditionnée à la reprise d'une activité ou d'une formation, ce qui signifie concrètement qu'on ne pourra pas la percevoir sans faire une démarche active vers la reprise d'un emploi. Elle sera, deuxièmement, plafonnée à 75 % du SMIC.

La philosophie de toute notre action doit se nourrir d'une volonté absolue d'organiser notre ambition sociale autour, et pour le travail. Il doit s'agir d'une véritable obsession, d'une priorité, du but ultime. Nous pouvons construire la société du plein-emploi. Le travail est un droit et un devoir. Tout doit être mis en œuvre pour le faciliter et le mettre au cœur de nos priorités. C'est également une vision de ce que doit être l'égalité des chances. La probabilité de réussir à l'école est en effet dramatiquement réduite lorsque l'on a ses parents qui ne travaillent pas depuis des années.

Parmi les sujets les plus complexes qu'il nous faudra traiter sans le moindre retard se trouvera celui sensible du temps de travail dans la fonction publique. Une nouvelle fois, s'imposera à nous le devoir de vérité. En effet, la France compte aujourd'hui 5 millions de fonctionnaires. L'enjeu de l'augmentation de leur temps de travail est considérable. Et pourtant a-t-on le choix ? Non, quand on pense que de tous les pays développés, la France est quasi championne en matière de dépenses publiques. Cinquante-sept pour cent de notre richesse nationale sont annuellement consacrés à leur financement. Le poids qui pèse ainsi sur notre secteur privé est insupportable. C'est l'une des premières explications à nos problèmes de compétitivité et la faiblesse endémique de notre croissance. Nous sommes engagés dans un cycle destructeur où l'augmentation continue des dépenses publiques entraîne celle des charges pesant sur le secteur privé, avec pour conséquence une envolée du nombre des chômeurs qui entraîne à son tour une inflation des dépenses sociales. La boucle est ainsi bouclée. La situation ne cesse d'empirer. Il n'y a pas d'autre choix que d'y mettre un coup d'arrêt vigoureux.

Je précise que la problématique n'est pas celle « théorique » de l'État ou de la considération que nous devons avoir pour le travail des fonctionnaires. Il n'est pas imaginable de faire disparaître l'État ou même de contester son rôle, sa mission, ses responsabilités. La France a une histoire, et l'État y tient une grande place. Je ne me sens nullement attiré par les raisonnements qui voudraient faire de l'État la première des citadelles à abattre. Sans un État digne de ce nom, la France serait livrée aux féodalités de toutes sortes, et aux corporatismes qui n'ont cessé de se développer ces dernières années. Un think tank libéral a même récemment incité la droite « à faire preuve de courage » en supprimant le ministre des Universités qui devrait être remplacé, du moins à ses yeux, par une autorité indépendante composée de spécialistes... J'ai rarement eu l'occasion d'entendre sur ce sujet un discours aussi infondé. Car c'est bien à l'État de porter et d'incarner une politique universitaire, comme il doit avoir une politique économique, fiscale, sociale, pénale... Je confesse, par ailleurs, une réelle allergie à toutes ces institutions prétendument indépendantes. Indépendantes de qui ? Nul ne le sait. Bénéficiant de quelles légitimités ? Tout le monde l'ignore. À moins que l'on ne considère que la cohabitation de gens ayant fait les mêmes études soit devenue l'alpha et l'oméga de la légitimité démocratique. Je souhaite à l'inverse que soient réduites au strict minimum toutes ces autorités qui ne sont à mes yeux que le symptôme de la démission de tant de politiques face à leurs responsabilités. Les ministres et les commissions spécialisées du Parlement pourraient aisément reprendre nombre de ces compétences aujourd'hui abandonnées à une technocratie que plus personne ne parvient à maîtriser. Quant aux fonctionnaires eux-mêmes, ils sont plus populaires en France que ce que l'on a l'habitude de dire. Chacun de nous est fier de voir la capacité de mobilisation de nos services publics lorsque se produit une grande catastrophe, un attentat, un drame, un accident. Policiers, gendarmes, service de santé font alors preuve d'une compétence, d'une abnégation et d'un dévouement souvent exceptionnels. L'alternance de 2017 ne constituera donc pas le grand soir de l'État ou de la fonction publique. Il ne s'agira en rien d'une « nuit du 4 août » à l'envers où le privé prendrait sa revanche sur le public. Il faudra tout simplement que chacun retrouve la place qui devrait être la sienne, ni plus ni moins. Ce n'est pas vouloir détruire l'État que d'affirmer que son poids est devenu trop lourd, et que c'est justement cette omnipotence qui met en cause son efficacité.

De même je veux dénoncer l'entreprise de paupérisation de la fonction publique engagée avec constance par la gauche. Le choix systématique du nombre a largement contribué au déclassement de la fonction publique. À la quantité nous devons répondre par la qualité. À la dévalorisation par la revalorisation. Au nivellement par le mérite. À la promotion systématique à l'ancienneté par la promotion de l'effort personnel. Au statut généralisé par la souplesse. À l'emploi à vie par le recours au contrat. La difficulté sera de bien faire comprendre que cette action structurelle et novatrice aura pour ambition de faire émerger une administration entièrement nouvelle dans son fonctionnement et dans son état d'esprit, pas de la détruire.

C'est dans ce cadre qu'il faudra donc replacer les mesures sur la durée de travail au sein de la fonction publique. D'abord, rappelons une nouvelle évidence qui pour être très sensible n'en est pas moins parfaitement réelle. Aujourd'hui, une partie de la fonction publique n'est pas aux 35 heures. Du fait des « accords Jospin » du début des années 2000, nombre d'agents, notamment dans les collectivités locales, sont à 32 heures voire à 28 heures hebdomadaires. La situation est devenue intenable. Comme de surcroît nous devrons impérativement reprendre le mouvement de diminution des effectifs, s'il y a moins de fonctionnaires, ils devront également travailler davantage. Dans un premier temps, chacun, sans augmentation de salaire, sera donc tenu de faire au minimum les 35 heures. Qu'au moins la règle s'applique. Mais il faudra aller plus loin en portant la durée hebdomadaire du travail dans la fonction publique d'État à 37 heures, cette fois payées 37 heures. Moins de fonctionnaires, mieux payés car faisant davantage d'heures. Voilà la cohérence de notre politique dans la Fonction publique. Pour les collectivités territoriales, la liberté sera rendue à tous les exécutifs territoriaux de fixer la durée du travail au sein de leurs collectivités en partant du préalable minimum des 35 heures. C'est ainsi que chaque région, chaque département, chaque mairie pourra déterminer le nouveau temps de travail, au-delà des 35 heures. Les élus retrouveront des marges de manœuvre pour gérer le plus efficacement possible des institutions qui n'ont pas toutes les mêmes situations financières ou les mêmes besoins.

Le pendant de cet effort sur la durée du travail concernera l'enjeu central des effectifs. Ici encore, aucune alternative n'est possible. Diminuer le montant des dépenses publiques, c'est d'abord réduire les effectifs. La masse salariale de l'État est, en effet, et de loin, le premier budget de la nation. Nous devons reprendre la politique du non-remplacement d'un fonctionnaire sur deux partant à la retraite. Mais nous ne devrons pas réserver cette décision à la seule fonction publique d'État pour l'appliquer également aux collectivités territoriales. Cela évitera de retomber dans le paradoxe rencontré durant mon quinquennat où nous avions supprimé pas moins de 150 000 postes de fonctionnaires pour l'État, mais comme dans le même temps les collectivités territoriales en avaient créé plus de 150 000. Pour l'équilibre des comptes publics français, ce fut finalement un retour à la case départ. Et s'il faut réformer notre Constitution, nous le ferons. Je reconnais que la décision est difficile mais c'est une condition indispensable pour mettre un terme à des déficits qui nous ruineront définitivement si nous n'agissons pas sans tarder. Il n'est plus possible de biaiser, de temporiser ou de reporter à demain des décisions qui devront être prises à l'été 2017. L'objectif de réduction des effectifs de fonctionnaires sera de 300 000 sur la durée du quinquennat, étant entendu que, pour des raisons de sécurité nationale, les forces de la justice, de l'armée, de la police et de la gendarmerie seront exonérées de cet effort.

L'effort demandé à la fonction publique ne s'arrêtera pas là. Le mot « égalité » est l'un de ceux que nous, Français, aimons prononcer le plus souvent. Il se trouve au frontispice de nos établissements publics, et nous nous y référons constamment. Du texte à la pratique, il y a cependant un écart que nous avons beaucoup de mal à franchir ! Après le temps de la réflexion, viendra le temps des décisions pour remettre à égalité les règles du privé avec celles du secteur public. Je pense à la période de carence, qui doit être rétablie et portée à deux jours pour se rapprocher des règles du secteur privé. Mais je pense également au dossier de la retraite. Cette inégalité est très difficile à accepter pour les Français. Il faudra donc, enfin, mettre le calcul des pensions du public dans la même logique que celles du privé. Les retraites des fonctionnaires seront donc calculées à l'avenir sur les vingt-cinq dernières années, et non plus sur les six derniers mois. Seront de fait intégrées les primes du public dans le calcul des pensions. Primes qui seront par ailleurs assujetties aux cotisations. Car bien évidemment ce mouvement vers l'égalité doit être parallèle, et donc aussi puissant lorsqu'il s'agira de rééquilibrer la situation au profit des fonctionnaires...

C'est le même esprit qui devra nous conduire à supprimer les régimes de retraite dits spéciaux. Les cheminots, les électriciens, les gaziers n'ont plus les mêmes raisons que par le passé de bénéficier de conditions de départ à la retraite à ce point spécifiques. Ils seront donc intégrés progressivement au régime général. Nous avions amorcé ce mouvement par les réformes de 2007 puis de 2010. Notre responsabilité sera de le poursuivre et de clore cette évolution inéluctable d'ici à la fin du prochain quinquennat.

Je suis intimement persuadé que, loin d'inquiéter, l'annonce précise, argumentée, publique de ces mesures est de nature à rassurer les Français. L'incertitude, l'opacité, les sourdes menaces sont les premiers facteurs de défiance. Tout dire avant pour tout faire après. Je ne dévierai pas de cette stratégie, seule de nature à permettre d'opérer les grands changements dont la France a besoin sans provoquer les affrontements et les violences dont notre pays a si souvent été le théâtre. Ce sont le mensonge et la dissimulation qui provoquent la colère. La franchise suscitera nombre de débats – quoi de plus naturel en démocratie – mais n'engendrera pas de blocages. C'est en cela que le choix de 2017 est essentiel et que la campagne qui précédera ce rendez-vous ne peut en aucun cas être escamotée.

Dire la vérité, c'est aussi évoquer la situation de la classe politique elle-même. Dénigrée par tous, accusée de tous les maux, critiquée jusque par ses membres. À entendre le consensus des commentateurs, le débat est clos. Le discrédit, le désamour sont généralisés et sans appel.

Je ne partage pas cette sévérité, même si nous avons en notre sein beaucoup de changements à opérer. D'abord, aussi insuffisants et imparfaits que soient les politiques, par qui les remplacer ? Est-on certain qu'une technocratie ferait mieux ? Tous les exemples historiques incitent à répondre « non ». Ensuite, je veux noter que les élections locales recueillent une participation électorale de 50 %, ce qui n'est pas négligeable, sans parler de la présidentielle qui rassemble régulièrement entre 70 % et plus de 80 % des électeurs. Ce n'est pas à proprement parler la marque d'un désintérêt ! Le problème est en fait ailleurs, dans l'interrogation fondamentale des électeurs sur la réalité du pouvoir des politiques. Même s'ils le veulent, le peuvent-ils ? se demandent nombre de Français. Autrement dit le pouvoir peut-il être efficace ou n'est-il qu'une illusion, qu'un mirage. C'est un enjeu majeur auquel il va nous falloir répondre si les Français nous accordent leur confiance. Pour prouver notre efficacité, il n'y aura pas d'autre solution que d'agir vite et sur plusieurs fronts à la fois. La session extraordinaire de l'été 2017 aura une importance capitale sur tout le devenir du quinquennat. L'Assemblée nationale et le Sénat devront notamment examiner simultanément, en matière économique, trois textes : une loi de finances rectificative et une loi de financement rectificative de la Sécurité sociale pour voter les baisses de dépenses publiques et des prélèvements obligatoires pour la durée du quinquennat, et parallèlement un projet de loi sur le renforcement de la compétitivité de nos entreprises, avec notamment la réforme du marché du travail.

Je ne crois pas, en revanche, à la procédure des ordonnances. D'abord parce qu'elle confond vitesse et précipitation en privant le pays d'un débat utile et pédagogique au Parlement. Comment un Président nouvellement élu pourrait-il demander aux Français de lui donner une majorité au Parlement pour immédiatement retirer à celle-ci le pouvoir d'agir ? Cela n'aurait aucun sens. Ensuite, rappelons-nous que lorsque Jacques Chirac et Alain Juppé utilisèrent cette procédure en 1995, cela se termina par un blocage du pays et le retrait en rase campagne de l'essentiel du projet de l'époque de réforme de la Sécurité sociale. Car il est un élément que les promoteurs de cette procédure omettent souvent de rappeler. C'est que les ordonnances doivent bel et bien être ratifiées dans les mois qui suivent le dépôt du projet de texte. Il n'y a pas un débat, mais deux, éloignés dans le temps, ce qui donne un espace bien plus important à la contestation sociale. Les ordonnances, c'est donc, en fait, reculer pour moins bien sauter. En réalité, je ne goûte guère l'utilisation de ces procédures qui donnent toujours le sentiment aux Français qu'on leur prépare un mauvais coup, ou pire qu'on leur cache quelque chose. Ici encore, le devoir de transparence nous commande d'assumer tous les débats, de ne pas les laisser traîner en longueur, et de mettre en œuvre la plus grande partie de nos décisions avant l'automne 2017. Ce sera la meilleure réponse à toutes les controverses sur « l'efficience » de la politique. La loi El Khomri a bien montré que, lorsque l'on refuse le débat au Parlement, on a la violence dans la rue.

Il y a par ailleurs un changement majeur que je souhaite engager. Il concerne le nombre de nos parlementaires. Pratiquement 1 000 si l'on ajoute les députés européens aux parlementaires nationaux. C'est trop. Beaucoup trop. Les assemblées pléthoriques deviennent inaudibles. Nous avons ainsi 3,5 fois plus de sénateurs que les États-Unis qui sont pourtant 4,5 fois plus peuplés que nous. Ce n'est pas raisonnable. Le système est devenu trop lourd, trop cher, trop illisible. La classe politique française est trop nombreuse. Je propose de réduire d'un tiers le nombre de parlementaires. Moins de politiques, plus représentatifs, disposant de davantage de moyens. Telles sont à mes yeux les conditions d'une modernisation profonde de notre vie politique. Je veux aussi réaffirmer mon opposition à la démagogie du mandat unique qui, à l'inverse de l'évolution souhaitée, conduira à l'augmentation du nombre des politiques. En effet, au lieu d'avoir un député-maire, il y aura dans chaque circonscription un député et un maire. Pour quels bénéfices ? Par ailleurs, je me méfie beaucoup d'assemblées parlementaires qui ne seraient composées que d'élus sans enracinement local, disponibles toute la semaine pour voter de nouvelles lois. Le fait pour un député ou pour un sénateur d'avoir un mandat local lui permet de rester connecté avec la réalité du terrain. La vie politique a déjà bien trop tendance à s'abstraire de la « vie réelle ». Le mandat unique favorisera cette tendance jusqu'à la caricature. Que chaque élu puisse exercer deux mandats constitue le bon équilibre. De surcroît, cela permettra à nos territoires d'être mieux représentés et défendus par une femme ou un homme qui aura l'expérience quotidienne des enjeux locaux. Moins de parlementaires, pouvant exercer au maximum deux mandats en même temps, siégeant au sein d'assemblées disposant de davantage de responsabilités. Telles me semblent être les évolutions nécessaires autant que souhaitables de notre démocratie.

En tout état de cause, ce sera au peuple souverain de décider lors d'un référendum que nous organiserons le jour du second tour des élections législatives de juin 2017. Nul ne pourra contester une décision référendaire. La vie politique française s'en trouvera profondément renouvelée. Il me semble enfin assez cohérent que des femmes et des hommes qui professent la nécessité de travailler plus en France ne se fixent pas des règles qui les amèneraient à travailler moins ! Je me devais de défendre ces convictions qui peuvent être bien évidemment sincèrement combattues avec des arguments dont je reconnais qu'ils ne sont pas tous négligeables. En revanche, j'avoue une certaine exaspération devant toutes ces postures artificielles mises au service de la seule stratégie de l'image. Être pour le mandat unique, c'est possible, mais pas dans le but exclusif de donner des gages au système médiatique. La vie politique est difficile, souvent aléatoire, toujours cruelle. Alors au moins quand on y consacre sa vie, on doit avoir le courage de défendre la dignité de cet engagement, d'expliquer la difficulté de mener à bien la moindre décision, et la noblesse des mandats que les Français vous confient provisoirement ! Je ne peux accepter ce manque de cohérence qui consiste à refuser d'assumer ce que l'on est et ce que l'on fait. C'est d'ailleurs gravement sous-estimer les Français que d'imaginer qu'ils peuvent être dupes de ces postures. En général, ce sont toujours ceux qui prônent avec ostentation le renouvellement, le rajeunissement, la rénovation dont les comportements politiques sont les plus conservateurs et les plus convenus. Je me souviens du mouvement des rénovateurs du milieu des années 1980, qui s'opposait à Jacques Chirac et à Valéry Giscard d'Estaing au nom du seul critère de l'âge. Ils allaient tout changer, tout révolutionner, tout modifier. Pour finir Jacques Chirac fut élu Président ! Être vrai, être authentique, être sincère impose d'accepter de défendre des idées qui peuvent être minoritaires momentanément sans être pour autant inexactes... L'âge passe plus vite qu'on ne l'imagine. Il est dangereux d'en faire l'argument unique de sa promotion. La rénovation, je veux dire, la vraie, se prouve par la force des idées et l'énergie qu'on est prêt à mettre à leur service. De ce point de vue, je me sens prêt à affronter toutes les concurrences.

Un autre thème particulièrement sensible est celle du rapport entre la haute administration française et le futur gouvernement. Je dis « haute », car je sais d'expérience que dans l'immense majorité des cas, le problème ne se pose pas avec la plupart des agents. J'ai, en revanche, fréquemment entendu des électeurs nous dire avec vivacité : « Vous avez laissé les directeurs des administrations centrales combattre de l'intérieur une politique qui n'était pas la leur [sous-entendu qui n'était pas de gauche]... Allez-vous continuer à être à ce point naïf ? » C'est un vrai sujet qui doit être résolu. J'ai souvent eu l'occasion de dire et plus encore de démontrer à quel point je n'ai jamais été sectaire dans ma vie politique. J'ai le sectarisme, sous toutes ses formes, en horreur. J'ai pratiqué l'ouverture. Elle me fut si souvent reprochée dans ma famille politique. Et il ne m'est jamais venu à l'idée dans ma vie personnelle de choisir mes amis en fonction de leurs proximités politiques, ce serait à mes yeux incongru et déplacé. La phrase de Paul Quilès après la première élection de François Mitterrand : « Il ne suffit pas de dire que des têtes doivent tomber, [il faut] dire lesquelles et le dire rapidement » m'a toujours semblé détestable. Mais il est certain que refuser le sectarisme est une chose, accepter la déloyauté en est une autre. Ce serait faire preuve de faiblesse, et faire courir un grand risque à la crédibilité de l'alternance. La force des changements qu'il nous faudra engager est telle que nous devons être assurés que les trente plus importants directeurs d'administration centrale soient au minimum convaincus de la pertinence des réformes dont ils seront chargés de la mise en œuvre. J'ai conscience que cela nous fera choisir une forme de *spoil-system* à la française. Après tout pourquoi pas si cela renforce l'efficacité du gouvernement de l'alternance ! Je préfère un mouvement de nominations franc, transparent, annoncé, démocratique, à la prise en main souterraine de tous les leviers de direction d'un pays. Le nouveau pouvoir devra donc nommer à cette trentaine de principaux postes des hauts fonctionnaires sincèrement en accord avec la politique de la nouvelle majorité. La première conséquence sera donc une efficacité accrue puisque seront évités tous les combats d'arrière-garde si fréquemment observés dans le passé. La seconde sera que les ministres pourront pleinement s'appuyer sur leurs directeurs et devront donc travailler directement avec eux. Il sera ainsi possible de réduire considérablement la taille et la place des cabinets ministériels. Ces derniers sont une spécificité française qui complexifie un système de décision qui n'a aucunement besoin de l'être, retarde les décisions et isole le ministre de ses « troupes ». C'est un cercle vicieux qui pousse les ministres à s'entourer de fidèles pour compenser la méfiance à l'endroit des principaux directeurs de leurs ministères. Si l'on rétablit la confiance, on pourra se passer des cabinets pléthoriques. Cette nouvelle stratégie permettra en outre d'élargir le recrutement de notre haute fonction publique. En donnant à chacun de ces nouveaux directeurs un véritable statut, avec le contact direct avec leur ministre, sans l'interférence permanente des cabinets, il sera possible de faire revenir dans l'administration d'anciens hauts fonctionnaires ayant renforcé leur expérience par des années dans le secteur privé. C'est là aussi un problème important. Les hauts fonctionnaires qui ont les responsabilités les plus importantes, dans les cabinets ministériels, trop souvent sortent à peine de leur corps d'origine et ont une culture et une formation trop monolithique, trop étrangère aux enjeux et aux risques du privé. Il serait très utile de pouvoir utiliser sans que cela paraisse incongru, au service de l'État, un fonctionnaire qui bénéficierait de la formation administrative traditionnelle couplée avec une expérience de plusieurs années par exemple dans l'entreprise. L'administration y gagnerait beaucoup en efficacité. Et ce serait pour les citoyens un gage d'assurance en ces nouveaux interlocuteurs administratifs capables de mieux comprendre leurs préoccupations.

Ce sera l'un des grands sujets de l'alternance que d'être capable de construire un nouveau rapport entre les Français et une administration qui a perdu beaucoup de ses repères et qui s'interroge sur ses missions. L'administration doit être remise au service des citoyens dans un rapport de respect mutuel. La suspicion généralisée, la volonté de tout empêcher ou au moins de tout compliquer est de plus en plus mal vécue par nos compatriotes. Il est urgent de modifier en profondeur ce climat. Le mot confiance doit être au cœur de cette nouvelle politique. Rien n'est possible sans elle. Bien loin de diminuer la lutte absolument nécessaire contre la fraude et les fraudeurs, cette nouvelle relation en renforcera l'efficacité car elle permettra à l'administration de se concentrer sur la véritable fraude et sur les fraudeurs professionnels. Les citoyens ne doivent plus être considérés comme des suspects ou pire des coupables en puissance. Ils doivent pouvoir s'adresser à l'administration pour solliciter un conseil, expliquer une erreur toujours possible, demander un avis ou une orientation, élaborer un compromis. C'est dans cet esprit que je souhaite que cessent les « contrôles fiscaux sur place », si traumatisants pour une entreprise, et qui lui font perdre un temps précieux. Les agents du fisc les feront d'abord de leurs bureaux. Les contrôles sur place ne devront plus intervenir qu'en cas de suspicion de fraude avérée, et non plus quasi systématiquement comme aujourd'hui. Il en ira de même pour la période sur laquelle porteront les contrôles. Ils ne concerneront à l'avenir que la dernière année. En revanche, si ce contrôle met en lumière des éléments précis de fraude, alors il sera étendu à une période de trois ans.

Nous devons tourner le dos à la société de la méfiance, de l'accusation généralisée. Ce climat détruit l'esprit de la démocratie, empêche les acteurs économiques de prendre des initiatives et des risques, paralyse la recherche, l'innovation, le dynamisme, éteint l'esprit créatif. Ces nouveaux rapports entre les citoyens et l'administration poseront les bases de la République de la confiance que j'appelle ardemment de mes vœux. La France doit redevenir le pays où l'on peut oser, innover, créer, bâtir.

II

Le défi de l'identité

J'ai toujours été convaincu que chaque région, chaque pays, chaque continent chérit son identité. Sans être toujours en mesure de la définir, de la préciser, de la décrire. Sans être certain de ses origines, de la façon dont elle se constitue, des raisons profondes de sa légitimité. Indécise dans sa construction comme dans sa composition, elle n'en est pas moins vitale. On ne peut vivre sans identité. Addition de repères, de coutumes, de modes de vie, de cultures. Elle irrigue chacun de nous. J'ai souvent éprouvé ce sentiment paradoxal. Je ne me sens jamais autant européen que lorsque je suis en Asie. Jamais autant français que lorsque je suis au Royaume-Uni. Chacun de nous a besoin de se définir par rapport aux différences qu'il perçoit chez les autres.

Hier encore, affirmer publiquement qu'il existait une identité française, elle-même faite d'identités multiples, anciennes ou plus récentes, était considéré par ceux qui prétendaient arbitrer la pensée politique dans notre pays comme une insupportable provocation. Les « intrépides » qui osaient affirmer qu'il existait une identité française et que l'on pouvait en être fier au point de vouloir la faire partager à ceux qui avaient choisi la France pour y vivre étaient aussitôt traduits devant le tribunal de la pensée autorisée. Il était donc interdit d'évoquer l'identité de la France. Dramatique erreur. Ce déni ne fit qu'attiser les tensions. Il s'agit en fait d'un combat culturel et politique majeur. On ne dira jamais assez le mal qu'ont occasionné les apôtres du différentialisme en expliquant que se réclamer d'une identité française, c'était forcément rejeter l'autre. Il s'agit d'une méconnaissance profonde de l'histoire de France. Car si notre identité est si forte, c'est parce que la France est un miracle millénaire. Elle aurait pu cent fois être brisée par l'Histoire, et pourtant elle n'a jamais sombré. Elle a su fusionner des identités multiples qui ont donné naissance à cette identité nationale qui est aujourd'hui la nôtre. La France, c'est d'abord ces paysages, façonnés par près de cent générations qui ont inlassablement défriché, labouré, ensemencé cette terre dont nous sommes les héritiers. C'est ensuite une langue qui a produit les plus beaux chefs-d'œuvre de la littérature et qui a fait le tour du monde. Pour des millions d'hommes à travers la planète, la France, c'est d'abord la langue de Molière, de Corneille, de Racine, de Voltaire, de Balzac, de Hugo, Proust, Maupassant, Barbara ou Brassens. C'est une histoire épique, glorieuse, tragique, mais dont le récit a construit la nation. L'identité de la France, c'est la construction patiente de la liberté depuis les premières chartes médiévales jusqu'à la Déclaration des droits de l'homme et du citoyen. C'est ce qui donne à notre identité une portée universelle.

Pendant des décennies, les Français ont communié dans le culte de cette identité dont la transmission était la première mission de l'école de la République et la vocation de chaque famille. Peu à peu, cette mission fut abandonnée. Ce sont les idéologues du multiculturalisme et les sociologues des inégalités qui ont décidé de ce contresens. L'identité de la France était subitement devenue une offense pour tous ceux que nous avions accueillis et qui n'étaient pas d'origine française, ou qui n'étaient pas, socialement, en mesure d'assimiler une culture « trop savante ». Au motif que l'école était accusée de reproduire des élites, Corneille a dû parfois laisser la place à des animateurs culturels et Stendhal à des ateliers citoyens. L'école a trop souvent oublié de transmettre cette culture française qui était le patrimoine de toute la nation. Il est alors devenu inconvenant pour une partie de nos élites de rappeler les origines chrétiennes de la France. Parfois inconvenant de lire Balzac qui décrit la France de la Restauration. Parfois inconvenant de raconter l'épopée napoléonienne. Parfois inconvenant de rappeler plus d'un siècle d'histoire commune entre la France et l'Algérie. Le scandale fut complet au moment où la France fut mise dans l'obligation de cesser de chercher à assimiler ceux qui venaient d'ailleurs. Tout le monde devait pouvoir venir en France, mais chacun devait y conserver ses habitudes et son mode de vie. La France devait s'effacer devant ses hôtes. Cette politique fut une catastrophe. Nous devons y mettre un terme.

L'identité d'un pays n'est rien moins que le ciment de son unité. Moins on détient de patrimoine ou de biens matériels, plus on y est attaché car, en définitive, c'est la seule chose qui reste quand on ne possède rien. C'est bien pour cela que les élites françaises ont eu tant de mal à accepter l'idée même de notre identité nationale. Or ce sera bien l'un des tout premiers débats de la prochaine campagne présidentielle. Il s'agit bien de l'angoisse de la France d'aujourd'hui. C'est une erreur profonde que de la décrire comme fermée, repliée sur elle-même, rétive à toutes formes d'ouverture. Les Français d'aujourd'hui sont aussi généreux et solidaires que ceux d'hier, mais ils ont compris que la France a trop « accueilli » au cours des cinquante dernières années, et que la République a trop toléré de différences d'abord, de provocations ensuite. Dans leur sagesse collective, ils veulent donc que cela cesse, et sans tarder.

Le premier problème est celui, majeur, de notre future politique d'immigration. C'est un sujet qu'il nous faut débattre sans complexe, sans blesser, sans outrance, mais aussi et surtout sans faux-semblants, c'est-à-dire en évitant à tout prix les postures. L'explosion de Schengen est autant une grave difficulté et une formidable opportunité de tout reconstruire. Il nous faut d'abord choisir entre deux chemins difficilement conciliables, celui de la reprise d'une politique d'intégration ambitieuse et celui de la poursuite d'une immigration de masse. Le second rendant impossible le premier. Car nos procédures d'intégration sont frappées d'une embolie complète depuis que nous avons été submergés par le nombre. C'est ce nombre qui paralyse toutes possibilités en la matière. À peine une vague de migrants arrive-t-elle qu'elle est immédiatement dépassée par une autre, et ainsi de suite. Or nous n'avons absolument plus les moyens de continuer de la sorte. Nous n'avons plus assez de logements, d'emplois disponibles et de possibilités financières. Nous devons donc choisir notre priorité. À mes yeux, elle doit être celle de l'assimilation républicaine. En conséquence, il nous faudra réduire drastiquement, j'y reviendrai, le nombre d'étrangers que nous aurons à accueillir chaque année. Toute notre énergie et tous nos moyens seront consacrés à une politique d'assimilation ambitieuse. L'objectif doit être clairement affiché. Nous devons assimiler les nouveaux arrivants et pas seulement les intégrer, dès lors qu'ils ont la volonté de devenir français. Notre ambition sera donc sensiblement plus élevée. Tout doit commencer par un principe simple, c'est le dernier arrivé qui doit s'adapter à ceux qui sont déjà là, pas le contraire. Le nouveau venu doit donc apprendre la langue, se conformer au mode de vie national, respecter les lois et les usages français, et aussi bien sûr aimer son nouveau pays d'adoption. Il doit s'assimiler, c'est-à-dire devenir français, pas seulement par la nationalité mais aussi par les valeurs, par la culture, par la façon de vivre. Nous ne sommes pas des Anglo-Saxons qui laissent vivre côte à côte des communautés qui s'ignorent ou en tout cas ne se mélangent pas. Nous sommes une communauté nationale, une et indivisible. Nous devons donc assimiler et non pas seulement intégrer, c'est-à-dire refuser de prendre en compte chaque différence. De ce point de vue, reconnaissons qu'il y a eu trop de laxisme dans le passé. Le résultat, c'est que dans certains de nos quartiers les habitants ont parfois le sentiment de ne plus être en France. Certaines pratiques sont devenues inacceptables, et si les choses continuent de dériver à ce rythme et avec cette force, le risque d'une forme larvée de guerre civile ne peut plus être complètement écarté. Or cette perspective doit être conjurée à tout prix.

Nous devons relancer une vaste politique d'assimilation des populations récemment issues de l'immigration. Avant d'ouvrir les enfants de nos écoles à l'histoire du monde et à la diversité de leurs origines, il est indispensable de leur apprendre la géographie du pays où ils vivent, son histoire et ses lois. Ils doivent être fiers d'être français et d'habiter en France. Les manuels scolaires sont là pour faire connaître et aimer notre pays, jamais pour le culpabiliser. On ne peut plus accepter d'enseigner à tous une histoire convenable aux yeux des différentes « communautés » dont chacune exigerait la reconnaissance de sa propre histoire, mais une histoire de France qui soit celle de la communauté nationale. Notre civilisation ne peut pas se laisser imposer ce que l'on voit désormais sur notre territoire, la soumission des femmes, la séparation des sexes, les interdits alimentaires, la récusation d'un médecin selon qu'il est homme ou femme, le refus de montrer le corps et la beauté féminine, la condamnation de la tolérance. Refuser la civilisation française, c'est s'exclure de la communauté nationale. L'assimilation sera un enjeu fondamental pour la France de demain. C'est pourquoi je veux proposer un nouveau pacte d'assimilation. Il ne sera pas une possibilité offerte à ceux qui choisissent la France, il sera une condition préalable à tout séjour de longue durée et à toute naturalisation dont le délai devra être allongé. La condition de résidence pour devenir français est aujourd'hui de cinq ans. Comme c'est le cas dans plusieurs pays européens, le délai sera porté à dix ans. Redonnons aux principes fondamentaux du code civil toute leur force, la maîtrise de notre langue devant constituer un critère absolu et préalable pour être un Français, tout comme le partage de nos valeurs.

La République a trop reculé. Il faut maintenant affirmer une même règle pour tous. La liberté de chacun doit être limitée par la loi républicaine. Il en ira ainsi bien sûr pour tous les vêtements ayant une signification religieuse. Aucune exception ne peut plus être acceptée. À l'école, à l'université, dans son administration, sur son lieu de travail même, on ne doit pouvoir arborer aucun signe extérieur d'appartenance religieuse. Sinon à quoi rimerait-il d'être une république laïque ? J'entends l'argument selon lequel une jeune fille majeure a le droit d'exercer son libre arbitre et donc de choisir sa tenue vestimentaire. Le problème, c'est que la pression communautaire et familiale est devenue si pesante qu'en fait ces jeunes filles sont infiniment moins libres qu'on ne le dit. C'est l'exemple typique de la « tyrannie » d'une minorité. Car au bout de quelques années, celles qui ne mettent pas le voile seront montrées du doigt, un comble ! J'affirme que c'est maintenant à la République de défendre la liberté de chacun en imposant la même règle à tous. Ma position trouve les mêmes fondements s'agissant des menus de substitution. Habile facilité pour habiller un recul flagrant de nos principes. Ici encore, je comprends les bonnes intentions de nombre d'élus locaux. Je pense même que j'aurais peut-être défendu la même position si nous étions dans une situation « normale ». Si des adolescents ne mangent pas de porc, pourquoi refuser un menu végétarien ou un repas de substitution ? Soyons pragmatiques, ne dramatisons pas la situation, affirment certains. Mais l'argument tombe dans la situation de fortes tensions qui est la nôtre aujourd'hui et qui nécessite d'éviter à tout prix toute propagation. Si l'on veut mettre son enfant à l'école de la République, on doit alors en adopter toutes les règles, les prescriptions et les habitudes. Sinon, dans quelques années, nous nous retrouverons avec des tables réservées aux enfants musulmans ou aux Juifs. Ce que nous ne voulons à aucun prix. Je participais il y a quelques mois à la matinale de RTL. Un auditeur m'interrogea vivement : « Mon fils ne mange pas de porc, avec votre raisonnement vous l'excluez de l'école républicaine. » J'ai répondu à mon interlocuteur que, de mon point de vue, c'était à lui de s'adapter à l'école républicaine, pas à cette dernière d'intégrer toutes les « différences religieuses ». Force est de reconnaître que nous l'avons déjà trop fait jusqu'à présent. L'application stricte de la règle me semble seule de nature à apaiser les esprits, et par-dessus tout à éviter que ceux qui malgré leurs origines voudraient consommer du porc ne soient stigmatisés. Ce qui serait particulièrement choquant.

D'une manière générale, il nous faut poser dans les bons termes la question de l'islam en France. J'avais commencé à le faire en obtenant de haute lutte la création en 2003 du Conseil français du culte musulman, première réussite après de nombreux échecs marquants. Cela me fut reproché à l'époque. J'observe que, treize ans après, l'instance que j'avais créée fonctionne toujours, certes avec des insuffisances, des hauts comme des bas, des moments de tension. Mais personne ne l'a remplacée. Et je veux saluer le courage de tous ceux qui l'ont fait fonctionner, et qui continuent de le faire. Que ferions-nous d'ailleurs sans le CFCM ? Il serait en effet difficile de dialoguer sans interlocuteurs. J'avais d'ailleurs exigé à l'époque que l'UOIF (Union des Organisations Islamiques de France), qui regroupe les musulmans pratiquants les plus traditionalistes, participe à cette instance car j'ai toujours souhaité qu'ils prennent part à la concertation. Par ailleurs, leur présence renforçait la représentativité du CFCM. Mais, une nouvelle fois, il va nous falloir aller plus loin. D'abord je veux contester cette règle non écrite de la pensée unique qui voudrait faire passer toute personne osant évoquer les problèmes de l'islam pour islamophobe. Cet amalgame est proprement insupportable. Il est ensuite dangereux car il laisse le champ libre aux véritables islamophobes. De fait, l'islam présente deux spécificités qui sont autant de difficultés. D'abord il n'y a en son sein aucune hiérarchie. Or les religions ont pu, de tout temps, attirer vers elles une minorité de personnes « exaltées ». La hiérarchie et son autorité sur l'ensemble des fidèles permettent de mieux résister à ces phénomènes, en les contrôlant, en les limitant ou même en les combattant. L'absence de hiérarchie pour contrôler les imams, le fait même que « n'importe qui » puisse prétendre à ce statut d'imam est un sujet très sérieux. Il y a ensuite l'ignorance d'une solide tradition d'examen critique des textes sacrés de l'islam. Or chacun peut comprendre que des écrits religieux, du fait de leur ancienneté et de leur caractère symbolique, doivent absolument être interprétés et contextualisés. L'islam doit se livrer systématiquement à ce travail afin de ne point laisser le monopole de la pensée religieuse à des radicaux fondamentalistes. La culture chrétienne est tout autre qui fait des commentaires, de l'interprétation, de la critique une constante. Lorsqu'elle l'a abandonnée, notamment au Moyen Âge, ce furent alors toujours des périodes de récession, d'absolutisme, de violence ou de persécution. Disons-le tout net sans aucun esprit de polémique, ce n'est pas avec les religions que la République a aujourd'hui des difficultés, mais avec l'une d'entre elles qui n'a pas fait le travail nécessaire autant qu'inévitable d'intégration. A-t-on déjà oublié les épreuves qu'il nous a fallu affronter pour passer de la catholicité française à la laïcité ? Pas moins de 5 000 prêtres ont été expulsés de France au début du XXe siècle. Des centaines d'écoles catholiques confessionnelles furent fermées et leurs biens confisqués. Les catholiques, les protestants, les juifs se virent imposer des comportements qui constituent aujourd'hui notre cadre laïc. Nous devons faire le même travail vis-à-vis de l'islam, qui ne peut s'exonérer d'aucune des règles que les autres religions respectent parfaitement en France. Nous voulons un islam de France. Nous refusons un islam en France. Ainsi, je crois inévitable la mise en place d'une procédure qui permettra au CFCM d'habiliter les imams sous le contrôle du ministère de l'Intérieur, qui est aussi celui des cultes, avec la possibilité donnée à ce dernier d'interdire de prêche celui qui s'autoriserait des propos contraires aux règles républicaines et qui aurait la nationalité française ou d'expulser celui qui serait étranger pour les mêmes raisons. Je veux, sur ce sujet, aller dans le détail, car on m'objectera que cette possibilité existe déjà et que le ministre de l'Intérieur peut expulser un imam radical. Mais en réalité ce qui se passe, c'est que dans la plupart des cas, les imams concernés ont des enfants et une famille en France. Or, en l'état actuel du droit national et conventionnel, ils bénéficient souvent d'une protection juridique interdisant de fait leur expulsion. Dans mon esprit, le droit à une vie familiale normale ne peut passer avant le droit pour la société française de se protéger et de décider qui elle accueille sur son territoire. Il faudra revoir ce cadre juridique avec nos partenaires européens parce que cette situation ne peut plus durer. En cas d'alternance c'est ce que nous ferons en proposant à l'assemblée des parlementaires du Conseil de l'Europe une nouvelle interprétation de l'article 8 de la Convention européenne des droits de l'homme reconnaissant actuellement à chaque individu le droit quasi imprescriptible à une vie familiale normale. La protection de la société face au djihadisme doit passer avant ce principe.

Je crois également que le CFCM doit exiger de chacune des mosquées qu'elle respecte des homélies identiques lors de certains grands événements. Par exemple, ce fut une excellente initiative au lendemain des attentats que de demander à tous les fidèles que soient condamnés sans appel ces actes d'une barbarie effrayante et d'y associer une prière pour la République. La formation des imams devra être très strictement encadrée afin que tous s'expriment en français et possèdent la connaissance des grandes règles de notre République. Les rapports de l'islam de France avec les gouvernements étrangers devront être régis avec une très grande transparence, notamment sur le plan financier. Dans le même esprit, il doit être mis fin à la pratique des imams dits « détachés » par les gouvernements étrangers pour intervenir dans les mosquées en France. Il ne s'agira pas bien évidemment de couper les contacts qui sont naturels notamment pour tous les binationaux, mais ils devront être débarrassés de toutes considérations politiques et religieuses.

Je veux également préciser que la liberté scolaire ne fait nullement obstacle à notre volonté que les règles de la République s'appliquent partout sur le territoire. Je pense tout particulièrement aux écoles confessionnelles islamiques hors contrat. Les pratiques d'un islamisme radical ne pourront pas s'y appliquer. Ce qui signifie notamment que les filles devront y être traitées à l'égal des garçons et que le français y sera la première langue. La tolérance zéro nous conduira à fermer toutes celles dont la pratique de l'enseignement est contraire aux valeurs de la République. La liberté a elle aussi ses limites, en l'occurrence il ne peut y avoir d'« enclaves » idéologiques ou religieuses sur notre territoire. Comme il ne peut y avoir de prières de rue en France, l'interdiction du port du voile intégral, que j'ai voulue en 2010, doit redevenir effective. Je souhaite que les contrevenantes se voient suspendre toute aide sociale et familiale en cas de récidive.

Je sais que le sujet de l'islam est particulièrement sensible, car d'un côté il y a une grande majorité de musulmans français qui ne supporte plus l'amalgame dont ils sont les victimes quotidiennes et de l'autre il y a une proportion croissante de Français de toutes conditions qui ne veulent plus de ce communautarisme religieux de plus en plus provocant. D'un côté, l'affirmation d'une identité musulmane qui se sent humiliée, de l'autre, une nation qui se considère attaquée, menacée. Le risque d'affrontement est beaucoup plus élevé qu'on ne le croit au rythme où vont les choses. Ne pas évoquer ces problèmes, c'est prendre le risque d'une explosion. Il faut maintenant tout mettre sur la table. Évoquer franchement et sans détour les difficultés. Chacun doit prendre ses responsabilités, les musulmans de France aussi, parce qu'ils sont, qu'ils le souhaitent ou non, en première ligne. En effet, ils peuvent moins que les autres accepter un islam dévoyé, bafoué, sali par la barbarie djihadiste. Je propose donc une stratégie absolument inverse à celle pratiquée aujourd'hui, quand seule la parole des extrémistes des deux camps opposés est audible. Je souhaite que le débat sur la place de l'islam et des règles qui lui seront fixées soit public, ouvert, transparent, respectueux. La complaisance doit céder la place au courage. Ce débat ne concerne bien évidemment pas que la France. Il préoccupe tout autant l'Europe dans son ensemble. C'est pourquoi il est bien évidemment relié à notre future politique d'immigration. Ne pas le comprendre serait faire preuve de cécité. De ce point de vue, qu'un commissaire européen désigné par la France ait pu contester les racines chrétiennes de l'Europe est stupéfiant. On est consterné par l'aveuglement idéologique qu'un tel propos révèle. Mais on l'est tout autant par les ravages que de pareilles positions occasionnent. Car, en entendant cela, les plus raisonnables se raidissent et se crispent. La parole apaise. Le déni de réalité radicalise. Cela explique, entre autres, la situation si grave que nous connaissons aujourd'hui. Pour l'avenir, la règle sera donc la suivante : chacun pourra vivre sa religion, la transmettre à ses enfants, mais dans le double strict respect du cadre républicain et du mode de vie des Français. L'islam est devenu l'une des religions de France, la deuxième par le nombre de ses pratiquants, cela ne lui en crée que plus de devoirs. Au premier rang de ceux-ci, celui de se fondre dans le contexte culturel, politique et moral du pays. C'est donc à l'islam de s'adapter à la France, non à cette dernière d'accepter une pratique religieuse radicale parfaitement contraire à nombre de nos principes fondateurs, à commencer par celui, inviolable, de l'égalité entre l'homme et la femme.

* * *

La grande problématique de notre politique d'immigration est d'abord celle du nombre. Car il ne s'agit nullement à mes yeux d'une question de principe, convaincu que je suis que les civilisations meurent d'abord de la consanguinité. Le mélange, la différence, les rencontres, le croisement des idées et des traditions sont toujours féconds. Mais cela n'enlève rien à la nécessité de réduire les flux migratoires sous peine ici encore de voir les tensions atteindre des niveaux insupportables dans chacune de nos sociétés européennes. Or c'est bien déjà la situation que nous connaissons aujourd'hui. La France accueille annuellement plus de 210 000 étrangers, se répartissant entre environ 100 000 titres pour les immigrants familiaux, 65 000 étudiants, 25 000 réfugiés à qui l'asile a été accordé et 20 000 immigrants économiques. Le pays n'est plus en capacité d'accueillir un tel niveau d'immigration, l'équivalent d'une ville comme Rennes chaque année ! Au fond, nous payons le prix de trois erreurs successives. La première fut celle de l'immigration économique de masse des années 1960. Nous étions en plein dans les Trente Glorieuses. Le chômage était inexistant. Les besoins en main-d'œuvre de l'industrie et notamment celle de l'automobile étaient immenses. Nous avons alors organisé un vaste mouvement migratoire en provenance du Maghreb principalement. Avec la robotisation, la concurrence des nouvelles marques étrangères et les chocs pétroliers successifs, le chômage de masse est arrivé. Mais bien évidemment personne n'est reparti. C'était d'ailleurs sans doute impossible après vingt années d'installation en France. La deuxième erreur fut en 1976 d'autoriser le regroupement familial. Cela partait d'une intention louable. Qui peut vivre durablement sans sa femme et ses enfants ? Personne. Et nul ne doute que vivre avec sa famille dans son pays fait partie des droits fondamentaux de tous les êtres humains. Cependant, aucun des responsables de l'époque n'anticipa les conséquences que cela aurait sur les entrées sur le territoire, les difficultés d'intégration qui s'ensuivraient et la différence notable de natalité dans les familles nouvellement venues. Le phénomène migratoire s'est donc trouvé augmenté de façon considérable par le seul fait de la deuxième puis de la troisième génération d'immigrés. Celles-ci nées en France, et donc françaises mais élevées, et comment aurait-il pu en être autrement, selon des traditions familiales bien éloignées des nôtres, l'intégration recula. Il a fallu construire vite, et donc mal, des quantités de logements. Et, au fil des années, certaines de nos banlieues sont devenues de véritables ghettos communautaires où les services publics ont peu à peu perdu pied, où l'amertume et la violence n'ont cessé de prospérer, où la situation est aujourd'hui ingérable. Le regroupement familial n'a cessé depuis quarante ans d'être l'objet de fraudes massives et de détournements de procédures, malgré les tentatives mises en œuvre pour le limiter. L'attrait de prestations sociales et familiales à bon compte, a exercé une pression phénoménale. Le nombre s'est ajouté au nombre, nos systèmes d'intégration traditionnelle ont été submergés. Ajoutons à cela que ce n'était pas, à l'évidence, le même défi à relever que d'intégrer une famille venant d'Italie, du Portugal ou d'Espagne ou celle arrivant de l'Afrique subsaharienne, beaucoup plus éloignée en termes de mode de vie et de culture. À ces deux premières erreurs, s'en est ajoutée une troisième plus perverse mais tout aussi catastrophique quant à ses conséquences démographiques. La pensée unique de gauche, affichant sa générosité et ses bons sentiments contre le bon sens, a rendu tout débat sérieux sur l'immigration au cours des trente dernières années non seulement impossible, mais plus encore illégitime. Toute personne qui prononçait une parole restrictive sur le sujet était immédiatement rejetée du côté des extrémistes et du racisme. Moyennant quoi les échanges furent caricaturaux, et le véritable débat inexistant. Aux postures généreuses d'une gauche irresponsable et militante répondaient les postures martiales d'un Front national ignorant délibérément que les immigrés ne sont pas des statistiques mais des êtres humains. L'attitude de Marine Le Pen à l'occasion de l'un des drames survenus en Méditerranée lors de l'année 2015 fut profondément dérangeante, car l'inhumanité n'est pas la fermeté. Elle en est même le contraire. Des deux côtés, ce refus symétrique d'envisager la réalité fut condamnable, et plus encore irresponsable.

Pour l'avenir, il nous faudra être l'inverse, c'est-à-dire lucides, déterminés et pragmatiques. La lucidité impose le constat qu'il est impossible de continuer ainsi. Au cours des seules trente prochaines années, l'Afrique va plus que doubler sa population, passant de 1,2 milliard d'habitants à 2,5 milliards. Derrière la Chine et l'Inde, le Nigeria va devenir le troisième pays le plus peuplé du monde avec à lui seul une population supérieure à celle des États-Unis. L'Afrique étant à 14 kilomètres de l'Europe par le détroit de Gibraltar, on mesure l'immensité du défi qui se dresse devant nous. De ce point de vue, la proposition de la Commission européenne d'ouvrir un système de quota d'accueil d'immigrés avec sanction financière à la clé pour les pays qui refuseraient est insensée. Car on imagine le message qui est ainsi adressé à toutes les populations en attente du moindre signal d'ouverture pour se mettre en marche. Et ce alors même que l'effondrement de la Syrie a jeté sur les routes des millions de personnes. Or nous ne pouvons accueillir, et encore moins intégrer, un tel flux. C'est tout l'équilibre de nos sociétés qui se trouverait mis en péril. C'est l'avenir même de l'Europe en tant que civilisation qui se jouerait. C'est alors toute l'Europe pour le coup qui, en réaction, se couvrira de barbelés et se tournera en désespoir de cause vers les populistes les plus caricaturaux. Prenons bien garde à ne pas considérer ces perspectives comme trop éloignées quand elles ont sans doute rarement été si proches. La première certitude est donc évidente, nous devons réduire drastiquement le nombre d'immigrés que nous allons accueillir pour au moins prendre le temps de relancer la machine à assimiler française. En ce qui concerne l'immigration économique, nous devrons la stopper pendant le prochain quinquennat. Et pour les secteurs qui n'arriveraient pas à recruter, la réponse ne sera pas dans un surcroît d'immigration mais dans la formation de ceux qui sont déjà sur notre territoire et qui n'auront plus le choix de refuser une formation qualifiante s'ils sont au chômage. La détermination nous sera bien nécessaire pour imposer des solutions de bon sens. De la détermination, il en faudra aussi pour imposer aux pays du sud de la Méditerranée l'ouverture de centres d'instruction des dossiers des demandeurs d'asile. Il s'agit d'un point crucial pour le continent européen. En effet, quand des dizaines de milliers de malheureux ont traversé la Méditerranée au péril de leur vie, il est bien souvent impossible de les faire repartir. Le temps que les interminables délais d'instruction de leurs demandes soient écoulés, la majorité d'entre eux dont l'entrée sera pourtant refusée, du moins en théorie, se sera évanouie dans la nature. Pour les migrants sollicitant l'asile, l'instruction devra se faire au sud de la Méditerranée dans des centres financés par l'Europe, pour distinguer ceux qui sont véritablement menacés de ceux qui veulent venir en Europe pour des raisons économiques. Les pays qui refuseront la présence de ces structures ne pourront pas prétendre obtenir les centaines de milliers de visas pour rentrer en Europe qu'ils demandent chaque année. La collaboration entre le nord et le sud de la Méditerranée doit être constante, fondée sur la confiance et la réciprocité.

Le pragmatisme, c'est aussi de considérer que pour avoir une chance de maîtriser un phénomène d'une telle ampleur, nous aurons besoin d'une stratégie européenne. Nous sommes confrontés aux mêmes défis, nous devons donc organiser les mêmes réponses. L'effondrement de Schengen ne signifie pas que nous devons sortir de l'Europe. Il signifie que nous devons changer profondément l'Europe. De ce point de vue j'ose réaffirmer que le délitement sans précédent de

Schengen 1 peut au final être l'opportunité d'une véritable refondation bien éloignée des replâtrages et des mauvais compromis si habituels dans le climat d'impuissance qui a marqué l'Europe ces dernières années. La France devra dès le début de la prochaine alternance proposer un Schengen II qui réaffirmera le principe de la libre circulation dans l'Union des ressortissants communautaires, mais pas des extra-communautaires. L'Union des Européens n'implique pas que les ressortissants d'un autre continent puissent bénéficier des mêmes avantages, sinon pourquoi avoir fait l'Europe ? Le préalable de Schengen II sera l'adoption d'une même politique migratoire entre les pays membres et d'une même détermination politique et juridique à lutter contre l'immigration clandestine. Car tel était bien le péché originel de Schengen I, celui d'une absence d'harmonisation. Or, pour abaisser les frontières, il faut qu'au préalable les règles soient les mêmes. Faute de quoi on prend le risque, et c'est bien ce qui est arrivé, de favoriser à outrance un « tourisme social » où chacun peut choisir sa destination en fonction non de son projet d'intégration mais de l'attrait des prestations sociales qui sont servies dans le pays d'accueil. La liste des pays dits « sûrs » doit également être identique entre partenaires européens. Personne ne peut comprendre qu'il y ait une quelconque divergence d'appréciation sur le niveau démocratique de pays dont par principe nous serions amenés à refuser le statut de réfugié politique à leurs ressortissants. Cela permettra de revoir les procédures européennes pour faciliter l'éloignement des clandestins vers leur pays d'origine. En outre, je crois indispensable la mise en place d'un euro-Schengen composé des ministres de l'Intérieur, membres de Schengen II, mené par une présidence stable qui se verrait rattacher toutes les équipes de Frontex – l'agence qui assure en appui la protection des frontières de l'Europe – et qui assumerait le pilotage de la politique d'immigration européenne. Celui-ci ne peut plus dépendre de la seule appréciation d'un des 28 commissaires européens. L'immigration est un sujet politique majeur qui doit être géré, porté, assumé, incarné par des autorités politiques de premier plan. Ces ministres seront responsables devant les opinions publiques européennes. Le débat y gagnera en transparence. La gestion s'en trouvera renforcée en termes d'efficacité. L'Europe disposera enfin d'une politique cohérente, ferme et forte. Les Européens se sentiront protégés et rassurés, dans l'attente, je demande à ce que les contrôles à nos frontières soient maintenus jusqu'à la mise en place d'un Schengen II.

Le débat européen n'épuisera pas, bien sûr, à lui seul toute la problématique migratoire. Il nous faudra prendre également des dispositions nationales. Au premier rang de celles-ci, je crois indispensable l'existence d'un délai de cinq ans avant qu'un étranger puisse bénéficier en France d'une allocation sociale non contributive. Ce temps permettra de vérifier la volonté d'assimilation du nouvel arrivant et d'apprécier s'il est réellement autonome financièrement. La France ne peut pas être réduite à un guichet de distribution de prestations sociales. Aucune automaticité ne peut être acceptée. C'est pourquoi nous devrons en outre supprimer l'aide médicale d'État qui coûte chaque année près de 800 millions d'euros et qui sera remplacée par une aide couvrant uniquement les urgences vitales.

J'ai déjà eu l'occasion de dire que je ne souhaitais pas que nous remettions en cause le principe du droit du sol, car celui-ci fait partie intégrante de notre tradition. Un enfant né sur le sol français est français. Je crois en revanche à la nécessité d'une évolution importante qui consistera à mettre des conditions pour que ce droit devienne effectif, c'est-à-dire conforme à notre politique d'assimilation. C'est uniquement à ses 18 ans qu'un enfant de parents étrangers en situation régulière serait pleinement reconnu français, sauf s'il s'était rendu coupable, à cet âge-là, de crimes et délits qui ne rendent pas sa présence souhaitable au sein de la communauté nationale. En tout état de cause, il ne pourrait le devenir si ses parents étaient en situation irrégulière à sa naissance. Ces nouvelles règles permettraient notamment de répondre à la situation spécifique de certains départements d'outre-mer, en particulier celui de Mayotte situé dans l'archipel des Comores. Ce sont des milliers de Comoriennes qui viennent chaque année accoucher à Mayotte, tant pour des raisons sanitaires que pour que leurs enfants, nés dans une maternité française, obtiennent la nationalité de notre pays. Il s'agit ni plus ni moins d'un détournement de procédure auquel il faut mettre un terme. Il s'agit toujours de défendre la même idée : on ne peut devenir français par hasard, ou par la seule intention d'obtenir des avantages sociaux. La France n'est pas un guichet, une banque, un distributeur de services. La France est une nation, une communauté nationale attachée à ses valeurs, à ses coutumes, à sa langue, à sa culture, à son mode de vie. Il faut adhérer sincèrement et profondément à ces derniers avant de pouvoir intégrer la communauté nationale. Nous ne pouvons plus accepter la moindre entorse à ces principes. La France mérite d'être défendue. Son identité doit être respectée.

Il restera ensuite à restreindre les conditions du regroupement familial. Disons les choses directement : le regroupement familial est devenu un droit quasi inconditionnel, générant des tensions fortes en matière d'emploi, de logement, d'accès à l'éducation dans notre pays, et menaçant notre cohésion sociale et nationale. Notre politique d'immigration ne doit plus conduire aux échecs de l'intégration que les Français constatent quotidiennement. Le niveau des flux de l'immigration familiale n'est plus soutenable. Détourné de sa finalité, le droit à mener une vie familiale normale est même intégré dans les stratégies des passeurs et des filières pour l'immigration clandestine, comme sésame pour rester en France. Je propose que, tant que la nouvelle politique d'immigration ne sera pas mise en œuvre au plan national comme européen, le regroupement familial soit suspendu. Il s'agit d'envoyer un signal clair. Nous n'accepterons plus aucun détournement de procédure. J'entends déjà les critiques de toute la gauche s'élever, m'accusant de porter atteinte à la famille. J'observe d'abord que l'Allemagne vient de suspendre ce « droit » pour deux ans pour les réfugiés de guerre, c'est-à-dire essentiellement les réfugiés venant de Syrie. Ma responsabilité est de dire la vérité aux Français : on ne peut plus continuer avec un système qui autorise un étranger à faire venir sa famille après seulement dix-huit mois de présence sur notre territoire. Le droit européen permet d'aller à vingt-quatre mois, mais reconnaissons que même vingt-quatre mois ne sont absolument pas suffisants dans les conditions actuelles d'échec de notre système d'intégration. Je veux que nous ayons une vraie discussion avec nos partenaires européens pour redéfinir les critères du regroupement familial, en exigeant notamment qu'il ne puisse intervenir qu'après plusieurs années de présence sur notre territoire, avec des vrais gages d'intégration. Tant que cette renégociation ne sera pas intervenue, le regroupement familial sera donc suspendu dans notre pays. Je suis décidé à assumer cette décision et ses conséquences, même si cela doit durer plusieurs années. Je souhaite de surcroît qu'avant d'accepter un regroupement familial, il soit tenu compte du casier judiciaire du chef de famille. En cas de délits, le droit au regroupement sera suspendu pour l'ensemble de la famille. Leur présence sur le territoire sera donc conditionnée à un casier judiciaire vierge. Il s'agira d'une pression positive que de constater que le droit au séjour est ainsi suspendu au strict respect par toute la famille des lois de la République.

Enfin, dans le souci de transparence que j'évoquais en commençant mon propos sur l'immigration, chaque année, un débat devant la représentation nationale devra avoir lieu afin que le gouvernement expose ses objectifs chiffrés d'accueil d'étrangers, catégorie par catégorie, pour l'année suivante. Et à la fin de celle-ci, obligation sera faite à l'exécutif de préciser quelle fut la réalisation par rapport aux objectifs initiaux. Ainsi, tous les Français seront-ils parfaitement informés du nombre d'étrangers accueillis année après année. Ces chiffres feront l'objet d'un débat sérieux, approfondi, calme. Les populistes de tous les bords ne pourront plus les utiliser aux fins d'exacerber les tensions à propos de l'immigration. Au fond, avec cette transparence, c'est la démocratie qui reprendra ses droits.

J'imagine déjà les commentaires de ceux qui vont me reprocher d'avoir traité de notre politique migratoire au moment même où j'évoquais la défense de notre identité. Et pourtant, quoi de plus logique ! Le lien est évident. Si l'immigration n'est pas maîtrisée, encadrée par des règles fortes, conditionnée à des obligations intangibles, c'est toute la culture, le mode de vie, les valeurs du pays qui se trouveront profondément déséquilibrés. La notion d'équilibre est centrale. Qu'il vienne à manquer, et c'est tout l'édifice qui peut s'effondrer. Tout spécialement dans la période de très grandes tensions que nous traversons. Ceux qui arrivent doivent s'adapter à ceux qui les ont précédés. C'est d'ailleurs bien pourquoi je crois utile de leur imposer l'« assimilation » et non pas seulement l'« intégration » pour qu'il soit bien compris qu'ils devront désormais adopter strictement les valeurs et le mode de vie français. Cette fermeté nouvelle et bienvenue sera la garantie de la reprise d'un parcours d'intégration crédible à la République. À l'inverse, toute faiblesse à l'endroit d'un communautarisme si éloigné de nos traditions et de nos souhaits coûtera très cher pour l'avenir. La fermeté rassure et apaise. La faiblesse inquiète et attise les peurs. C'est d'ailleurs bien l'histoire de ces presque cinq années où les Français stupéfaits ont pu constater chaque jour le peu de cas qui était fait de la communauté nationale en tant qu'entité politique majeure. La France a semblé être gagnée par cette maladie que de Gaulle appelait le « renoncement ». Ce n'est pas la maladie de son peuple. C'est celle d'une partie de ses élites qui ne se sentent plus capables de défendre l'identité ni l'indépendance politique, culturelle et spirituelle de la France. Elles préfèrent s'abandonner aux délices d'une société atomisée en individualités dont on étend les droits à l'infini au détriment de toute vie commune. Comme si la France s'était soudainement réduite à la cohabitation d'individus souverains et de minorités sacralisées. La confrontation violente avec le djihadisme est le révélateur de cet alanguissement suicidaire. Mais il peut aussi, c'est en tout cas ce que j'espère, être le réveil de notre conscience nationale. Une secte barbare peut nous faire comprendre par contraste combien serait fatale la dissolution de nos liens, l'affaiblissement de nos institutions, la disparition de notre culture et de notre mode de vie. Lutter contre le communautarisme en interdisant le voile intégral, en prohibant les menus différenciés, en enseignant la laïcité est nécessaire mais s'avérera vain si dans le même temps nous ne savons pas renouer avec notre histoire, notre projet en tant que nation, en bref avec notre identité. Le peuple français a le droit à la continuité historique. Il ne s'agit aucunement de revenir à un nationalisme exclusif et agressif fondé sur le sang. Il s'agit seulement, et c'est déjà beaucoup, de ressusciter le désir de vivre ensemble, la fierté d'être nous-mêmes, la fidélité à nos racines, la volonté de transmettre et de protéger cette histoire, cette langue, cette manière d'être qui sont les nôtres depuis des siècles. Il faut restaurer l'idée qu'il y a, au-dessus des individus, au-dessus des minorités, une « chose commune » : la République.

Affirmer notre identité n'a rien de défensif. Ce n'est pas se refermer sur soi que de se souvenir de ses racines. C'est au contraire ici que je veux promouvoir deux politiques à mes yeux majeures.

La première est celle que nous conduirons en faveur de la ruralité. Elle est une composante déterminante de notre identité, l'un des visages de la France. L'alternance devra en conséquence répondre à l'abandon continu de nos territoires ruraux, par ailleurs touchés de plein fouet par les difficultés économiques et sociales, et souvent de façon encore plus forte que les zones urbaines. Nous devons offrir à ces territoires ruraux la capacité à demeurer attractifs, à maintenir l'emploi local, à garder leur population, à demeurer des lieux de production. À l'image du plan de rénovation urbaine que Jacques Chirac et moi avions mis en œuvre pour la ville, je veux appliquer un plan Marshall pour la ruralité qui aura pour principe qu'à 1 euro public investi en ville corresponde 1 euro pour la ruralité, notamment en matière d'infrastructures, de réseaux numériques et de santé. C'est un changement majeur, qui illustrera l'indispensable solidarité de l'ensemble des territoires de la République. Solidarité qui nous conduira également à adopter des mesures spécifiques pour nos compatriotes d'outre-mer, qui sont en moyenne deux fois plus frappés par le chômage qu'en métropole. Quel Républicain pourrait accepter sans réagir une telle réalité dans des territoires qui, eux aussi, font notre identité et contribuent à la grandeur de la France ? Je suis déterminé à mettre en place un cadre fiscal permettant de privilégier les créations d'emplois dans ces territoires, au lieu du traitement social du chômage qui a trop longtemps servi de seule réponse. Une zone franche globale sera créée, intégrant également les activités touristiques, en exonérant de droits de douane et de TVA les produits locaux achetés par les touristes. Que l'on ne se trompe pas, l'échec de nos outre-mer sera celui de la France entière. Son succès à l'inverse nous ouvrira des possibilités immenses sur tous les continents.

Affirmer l'identité de la France, c'est aussi revendiquer une politique culturelle extrêmement ambitieuse. Non seulement la crise économique que nous connaissons ne doit pas nous conduire à renoncer à nos ambitions en la matière, mais elle doit même renforcer l'ampleur et l'urgence de notre action culturelle. Car la culture sera l'une des réponses à la crise. Elle ne peut donc en aucun cas en être la victime. Rarement dans notre histoire nous aurons eu besoin comme aujourd'hui d'une grande ambition en la matière. Cela passera par un premier acte fort qui reviendra à affirmer la nécessité et donc le droit pour chaque Français de consommer des produits culturels comme s'il s'agissait de biens de première nécessité. Ce qui impliquera un taux réduit de TVA sur tous les biens culturels, qu'il s'agisse de la musique, du cinéma ou bien sûr des livres. Je sais parfaitement quel est le contexte économique et ce que sont nos déficits et notre endettement. Et pourtant j'affirme la nécessité de cette mesure qui sera au cœur de la défense de notre identité culturelle. Cela impliquera aussi que la France mène un combat, urgent autant que difficile, contre le risque d'aplatissement culturel du monde autour d'une seule langue ou d'une seule culture. Le monde a besoin de la diversité. C'est bien d'ailleurs ce qu'autorise l'identité. Car sans elle il ne pourrait y avoir aucune diversité possible. Je suis favorable au prix unique du livre comme aux quotas de production et de diffusion françaises pour la musique et pour le cinéma. Nous respectons toutes les musiques, mais nous ne voulons pas que l'une d'entre elles cannibalise toutes les autres. La beauté du cinéma tient beaucoup à sa diversité. Le cinéma d'aujourd'hui est iranien, roumain, indien, afghan, et c'est ce qui fait sa puissance. Il n'est pas que le produit de Hollywood, quel que soit par ailleurs le plaisir que nous apporte le cinéma américain. Exiger de nos diffuseurs qu'une part de ce qu'ils produisent ou diffusent soit l'expression de la culture française me semble aussi nécessaire qu'évident. La culture ne peut pas obéir à la seule loi du marché car, dans ce cas, seuls demeureront les plus forts, les plus riches, les plus puissants. Un film américain peut aisément s'amortir sur un marché de plus de 300 millions de consommateurs puis se répandre dans le monde à un prix défiant toute concurrence puisqu'il aura déjà fait l'essentiel de ses recettes. Ce n'est pas le cas pour le cinéma français. Nombreux sont ceux qui pensent que les 300 films produits en France l'année dernière représentent un chiffre considérable. C'est vrai, mais je préférerai toujours le trop-plein à la pénurie. Je crois à la vitalité de notre système de financement et de soutien qui nous permet de demeurer une grande nation cinématographique. L'enjeu est essentiel pour notre identité culturelle. Il en ira de même pour notre politique d'investissement dans les musées, dans le patrimoine comme dans le spectacle vivant. Je n'ai aucun complexe à défendre et même à revendiquer la dimension économique de tous les projets culturels. Dans certaines de nos villes particulièrement frappées par la crise, l'investissement culturel reste l'une des voies les plus profitables et les plus prometteuses. Je suis absolument convaincu que le Louvre de Lens sera un succès de même nature que le Beaubourg de Metz. Investir dans la culture est nécessaire pour la préservation de notre identité et utile pour la prospérité de nos territoires. Le système de défiscalisation au service de la préservation du patrimoine explique dans une large part le bon état général de nos bâtiments historiques, églises comprises. Pour le moins, voilà bien un domaine où nous ne souffrons nullement de la comparaison avec nombre de nos partenaires européens. Quand on voit ce qu'ont donné les années

Berlusconi sur l'état du patrimoine italien, on ne peut être qu'heureux de ce que nous avons fait en France. Je suis convaincu qu'il faudra persévérer dans cette voie. Quand l'histoire vous a fait l'héritier de tant de chefs-d'œuvre, le moins que l'on puisse attendre des heureux dépositaires est qu'ils les entretiennent et les développent. Sauf à vouloir être indignes de notre passé... La France a contracté une dette à l'endroit de tous ces génies créateurs qui nous ont précédés. Prendre soin de ce patrimoine n'est rien de moins qu'un devoir moral, et nous devrons y consacrer les moyens nécessaires. Je demeure en outre convaincu que, quelle que soit la qualité du ministre de la Culture, c'est au président de la République, et à lui seul, d'être le véritable protecteur de la culture française. Le ministre de la Culture devra donc travailler en direct avec lui et être choisi en fonction de sa proximité intellectuelle avec le Président.

Il restera dans le domaine culturel trois sujets complexes et sensibles à résoudre. Le premier concerne la faiblesse de nos groupes de communication, le deuxième l'audiovisuel public, le troisième l'éternel débat des intermittents du spectacle. S'agissant de nos groupes de communication, débarassons-nous d'abord d'une idée particulièrement fausse, celle de la prétendue trop grande concentration. Car, en effet, c'est tout le contraire. Nos groupes ne sont pas trop concentrés. Ils sont trop disséminés, trop petits, pas assez internationaux. Tout doit être fait pour les renforcer.

La communication au sens large est trop stratégique pour abandonner le terrain aux seuls groupes anglo-saxons. Il faudra donc complètement revoir les règles propres à ce secteur, en encourageant au lieu de dissuader la constitution de grandes entreprises de communication multimédia. Les limites qui ont été posées, il y a quelques années, sont aujourd'hui datées. Pour compter dans l'univers concurrentiel mondial, il faut pouvoir amortir ses achats de droits ou de films sur le plus de supports possible. Il doit en aller de même avec les règles concernant la propriété du capital où ces entreprises doivent être traitées exactement comme celles des autres secteurs industriels. Une loi sera nécessaire pour adapter toutes ces règles et permettre à nos groupes de s'imposer comme des champions européens, voire mondiaux.

Pour l'audiovisuel public, le champ d'action sera encore plus vaste. Il faudra d'abord mettre un terme à la triste farce des nominations. Le CSA s'est une fois de plus décrédibilisé avec son système d'auditions secrètes. Interventions multiples du pouvoir, polémiques à répétition, le malaise à France Télévisions fut réel. Tout cela prêterait à sourire si ce n'était pas si grave et si coûteux pour le contribuable. Malheureusement, nous n'aurons d'autre choix que de changer une nouvelle fois le système. Cela commencera par des nominations. J'avais voulu la transparence complète en assumant la nomination des présidents de l'audiovisuel public en Conseil des ministres avec ratification par un vote à la majorité qualifiée des commissions culturelles du Sénat et de l'Assemblée nationale. Je pensais qu'il était logique que le gouvernement assume la décision de nommer le dirigeant d'un groupe dont l'État est actionnaire à 100 %, et que le vote, de surcroît à la majorité qualifiée pour que l'opposition puisse être associée à ce choix, des commissions parlementaires était démocratique. La suite démontra que c'était une erreur. Après y avoir bien réfléchi, je crois donc que la meilleure solution consiste à supprimer le pouvoir de nomination du CSA et à demander aux commissions parlementaires spécialisées d'exercer à sa place l'essentiel de ses compétences. Le contribuable y trouvera une source d'économie bienvenue. La démocratie y gagnera en transparence. L'hypocrisie reculera. Restera à définir le périmètre de l'audiovisuel public. La situation est devenue ubuesque. Les chaînes s'empilent les unes sur les autres sans que le choix des téléspectateurs en soit si peu que ce soit renforcé.

C'est sans doute paradoxal, mais force est de constater que l'extrême concurrence dans la télévision avec la multiplication des chaînes a plutôt conduit au mimétisme et au nivellement des grilles. Jamais sans doute il n'a été aussi difficile de trouver sur nos écrans des émissions culturelles, de théâtre, de musique et même de variété. Se laisser aller au zapping donne une idée assez précise quant à la variété des programmes proposés. Trop souvent, la différence entre les programmes du public et ceux du privé sur les grandes chaînes généralistes est notoirement insuffisante. La dérision, la polémique, l'investigation racoleuse ont trop souvent pris le pas sur la découverte, la science, la culture.

S'agissant du service public, il y a sans doute une chaîne de trop. France Télévisions n'a pas les moyens financiers de faire vivre quatre canaux nationaux, sans compter France Ô. Quant à la nouvelle chaîne d'info du service public, quelle est son utilité alors même qu'il y a déjà trois chaînes d'info gratuites et TNT ? L'ambition de donner une véritable identité à France 2, France 3 et France 5 est déjà un fameux défi. Je persiste en outre à penser que la publicité doit être supprimée des écrans et des ondes radio du service public. C'est toujours la même explication. Celle de la tyrannie de l'audience. Avec les recettes de publicité, l'audience devient le mètre étalon. Tout s'organise autour d'elle pour une politique de la « demande supposée ». C'est tout le contraire que nous devrons faire avec une « politique de l'offre » ambitieuse qui finira par trouver son public. Avec un financement unique par la redevance, le service public sera débarrassé de l'audimat et pourra construire une offre différente et complémentaire du privé. Les choix du téléspectateur seront élargis pour la plus grande satisfaction de chacun.

J'arrive enfin à la question des intermittents du spectacle. Elle est sensible pour une bonne et une mauvaise raison. La bonne, c'est la spécificité de toute entreprise culturelle. Soumise aux aléas de la création comme à ceux de l'imprévisibilité et de la versatilité du public. L'investissement culturel n'obéit pas à la seule rationalité économique. L'équilibre est toujours aléatoire. Le succès infiniment plus rare que l'échec. De surcroît, il ne s'agit pas d'une activité régulière. Le temps de non-activité entre deux périodes d'engagement est inévitable même pour les professionnels les plus demandés. La spécificité du régime des intermittents est donc légitime. En tout cas, s'il y était mis un terme brutal, il y a fort à parier qu'innombrables seraient les entreprises du secteur qui n'y survivraient pas. Pour le coup, ce désastre économique aurait des conséquences définitives sur la production culturelle française. Je souhaite donc la pérennité de ce système. Cet engagement sans ambiguïté ne faisant que rendre plus nécessaire, en tout cas à mes yeux, la lutte contre les innombrables abus auxquels a donné naissance ce régime dérogatoire. Et pourtant personne n'a osé s'y attaquer véritablement. C'est ici qu'intervient la « mauvaise raison » sous la forme d'une véritable prise d'otage du système par une minorité politisée qui, à chaque tentative de réforme, menace, occupe, bloque. Ces professionnels de l'agitation peuvent détruire des festivals, ruiner des salles de spectacle, condamner des représentations théâtrales. Les gouvernements successifs, tétanisés par ce risque, finissent toujours par reculer, cédant aussi à la menace. Les conséquences sont connues. Les Français continuent à payer pas moins de 1 milliard d'euros. Les véritables intermittents souffrent de l'injustice d'être amalgamés à cette mascarade syndicale. Le public subit les humeurs de cette minorité, et enfin l'autorité de l'État finit de se consumer sous les coups de quelques provocateurs convaincus de leur impunité. La situation ne peut plus durer tant elle est devenue insupportable. Le régime des intermittents sera donc refondé, étant devenu le symbole de l'injustice à l'endroit de tous les autres salariés français.

Ne nous trompons pas, la prochaine élection présidentielle ne se jouera pas seulement sur les clivages économiques, aussi importants soient-ils. Elle donnera certes lieu à de justes débats sur les impôts, les déficits et la dette. Elle verra des affrontements nécessaires sur l'Europe et les grands dérèglements internationaux. Mais l'essentiel, la clé de la cohérence de l'ensemble se jouera sur l'identité française, son contenu, son respect, son avenir et, par-dessus tout, sa pérennité : c'est ma conviction intime. C'est pour moi une certitude. Il faudrait être bien aveugle pour ne pas en être convaincu. Cette bataille pour l'identité est une bataille culturelle. C'est une bataille pour préserver l'essence de la France. L'âme française qui est un mode de vie, une langue, une culture, un terroir doit être défendue et préservée. C'est la première demande du peuple français. N'en déplaise à la bien-pensance, j'ai bien l'intention de répondre fortement à cette aspiration populaire parfaitement légitime. Durant la prochaine campagne, les masques devront tomber. Il y aura ceux, dont je serai, qui assumeront clairement ce choix de la France éternelle, et les autres qui voudront rester sourds à cet appel. Je n'ai pas l'intention d'être complice d'une situation qui pourrait rapidement devenir explosive à l'image de ce qui s'est passé dans tant d'autres pays, à commencer par l'Autriche. Dénoncer les extrêmes est sans doute utile, mais répondre à l'exaspération croissante du peuple français me paraît être autrement plus nécessaire. Car il s'agit bien de la

cause. Si les Républicains ne s'y attaquent pas sans faiblesse, il sera trop tard demain pour verser des larmes
de crocodile. Ici aussi ce sera 2017 ou il sera devenu
définitivement trop tard pour agir.

III

Le défi de la compétitivité

Il faut d'abord préciser les choses. La mondialisation n'est pas un choix, une alternative, une possibilité. Elle est un fait incontournable, autant qu'inévitable. Nous sommes 7 milliards d'habitants sur la planète pour 66 millions de Français et plus de 500 millions d'Européens. Refuser la mondialisation, c'est assumer le risque mortel que les autres continuent d'avancer pendant que nous resterons sur place, ballottés par des événements qui nous dépassent. Le premier débat à trancher est donc bien celui-ci. A-t-on ou non la lucidité d'analyser l'économie mondiale telle qu'elle est devenue, c'est-à-dire multiple et ultra-concurrentielle, ou est-on prêt à mentir une nouvelle fois aux Français en prétendant qu'il est possible d'ignorer cette réalité ? Bien plus que le seul débat entre les politiques économiques de la gauche et de la droite, la controverse de la mondialisation est centrale. En refuser le principe crée un fossé irréconciliable avec ceux, dont je suis, qui la croient inévitable. Une fois ce premier arbitrage rendu, je veux préciser qu'accepter le principe de la mondialisation, c'est-à-dire au fond que chacun des quelque

200 pays de la planète puisse espérer accéder à la prospérité en participant à la compétition mondiale, ne signifie nullement être prêt à la subir ou même à l'accepter telle qu'elle est. Je dirais même le contraire, car pour espérer influer sur le cours de la mondialisation, il faut y participer pour avoir une chance d'y compter ou d'y bénéficier d'une substantielle influence. Refuser la mondialisation, c'est s'interdire d'y apporter la moindre évolution et la plus petite correction. C'est de l'intérieur que l'on peut peser sur les événements, jamais de l'extérieur. Je reviendrai sur ce point majeur à mes yeux, car la France doit avoir des idées, des convictions, des propositions pour réguler le monde. Il y a eu et il doit continuer à y avoir une voix de la France sur les grandes affaires du monde. La régulation de la mondialisation sera l'un des enjeux majeurs de ces cinq prochaines années et donc devra être l'une des priorités de la future politique étrangère de la France. Sans un minimum de règles, c'est la loi de la jungle, la loi du plus fort, la loi de l'instantané qui sacrifie le futur. Si l'on veut peser sur la mondialisation, il faut en effet être l'un des grands acteurs de sa régulation. Prenons l'exemple des matières premières, aujourd'hui livrées à une spéculation éhontée, résultat d'une financiarisation excessive. À quoi ont servi les exhortations de François Hollande durant la campagne de 2012 sur la finance, son prétendu ennemi ? Au lieu de ces déclarations incantatoires et sans lendemain, il aurait été tellement plus utile de mettre à l'agenda des négociations mondiales, notamment dans le cadre du G20, la réforme du marché mondial des matières premières et agricoles, pour éviter tous ces

chocs en hausse comme en baisse, qui déstabilisent l'économie mondiale. La transparence des marchés, la mise en place de stocks de précaution pour faire face aux pénuries comme aux excédents, l'organisation d'une concertation structurelle avec les pays producteurs me semblent être des pistes prometteuses dont la France doit se faire le premier avocat.

Et que dire des règles qui s'imposent à nos banques, et sur lesquelles la France pèse de moins en moins ? À faire de la finance son ennemi, on en vient à oublier qu'un pays est plus fort avec de grandes banques puissantes qu'avec des établissements affaiblis. Là encore, on aurait préféré que le pouvoir en place pèse dans l'élaboration des normes mondiales ou dans leur modification plutôt que de brocarder, par populisme, les acteurs financiers. Que dire également de la passivité dont le gouvernement a fait preuve à l'égard des États-Unis dans leur application, pourtant si choquante, de lois extraterritoriales et de décisions de leurs tribunaux ? Qu'on ait laissé l'une de nos plus grandes banques subir une amende de 9 milliards de dollars sans réagir en est l'exemple le plus frappant. Je n'ai pas l'intention de subir sans réagir l'impérialisme américain sur nos banques et sur nos entreprises.

L'insuffisance de régulation dans de nombreux domaines est donc un enjeu fondamental. Ce n'est pas d'un excès de règles que souffre le monde aujourd'hui, mais d'une insuffisance de régulation. Le marché mondial s'est imposé avant même qu'un commencement de règles universelles ait pu s'élaborer. De là découlent les concurrences déloyales, sociales, monétaires, environnementales, fiscales qui déstabilisent toutes nos économies, chaque pays essayant d'user de toutes les failles du système pour grappiller quelques pourcentages de croissance en plus. Ce chaos nourrit toutes sortes d'excès qui eux-mêmes préparent les crises du lendemain. Le débat n'est plus celui du libéralisme comme à l'époque où les banques étaient toutes publiques, où le contrôle des changes et des prix étaient la règle, et où les plus grandes entreprises appartenaient à l'État. La liberté a gagné du terrain partout et c'est un progrès indéniable. Il reste maintenant à structurer ce marché mondial par des normes qui auront vocation à s'appliquer sur toute la planète. Ce besoin d'une nouvelle régulation donnera à la France un rôle à sa mesure, puisqu'il lui faudra parler aux plus grands tout en s'assurant l'appui de tous les pays en voie de développement. Nous sommes sinon les seuls, du moins les mieux placés pour tenir ce rôle. Porter la voix de tous ceux qui ont intérêt à la régulation de la mondialisation sera l'une des priorités de notre politique étrangère. C'est sans doute l'un des grands enjeux de ce début du XXIe siècle.

La mondialisation étant incontournable, tout doit être mis en œuvre pour que nous puissions être compétitifs. La nécessité d'être compétitif est la conséquence de la mondialisation. Elle est induite par celle-ci. Il n'y a plus d'autre choix possible, sauf à progressivement être effacés de la carte des puissances économiques du monde. Cet impératif a pour première conséquence de nous éloigner de tous ces débats idéologiques que nous aimons tant et qui sont devenus vains. En effet, le sujet n'est plus de savoir, du moins au plan économique, si l'on est libéral, socialiste, chrétien-démocrate ou encore keynésien, mais de tenir compte des politiques que mettent en œuvre nos principaux concurrents pour que nos entreprises puissent triompher dans la compétition économique quotidienne qui est désormais leur lot commun. Nous ne pouvons plus faire comme si le monde n'existait pas. Nous ne devons plus imposer aux personnes comme aux industries des impôts et des charges qui n'existent pas ailleurs. Au moins s'agissant du marché européen qui est devenu le plus important pour nos agents économiques. Il ne s'agit bien évidemment pas de s'aligner sur les salaires et les conditions sociales de la Chine ou de l'Inde, mais de comprendre que sur notre marché de base en Europe, nous ne pouvons pas « lester » nos entreprises d'impôts et de charges qui leur font perdre des parts de marché jour après jour. L'harmonisation fiscale et sociale en Europe n'est plus une alternative puisqu'elle est devenue une des conditions de notre survie économique. Le débat politique français doit absolument gagner en maturité. Toute notre politique économique devra désormais être focalisée pour et sur les entreprises. Ce sont elles qui créent des emplois. Ce sont elles qui doivent constituer la priorité des priorités. Ce qui est bon pour elles devra systématiquement être privilégié. 2017 constituera sans doute la première occasion depuis le début de la mondialisation pour que l'entreprise soit à ce point au centre de tous nos futurs choix économiques. Il s'agit d'une autre façon d'affirmer que les 6 millions de chômeurs constituent le problème majeur de la France. Seule l'entreprise crée des emplois. Si les entreprises retrouvent les conditions d'une nouvelle prospérité, elles créeront des emplois et le chômage diminuera. Il n'y a pas d'autres chemins pour accéder au plein-emploi que de construire toute notre future politique économique autour et pour les entreprises. Ce choix est structurant. Il doit conditionner tous les autres, car cette priorité affirmée et affichée ne pourra se trouver en concurrence avec aucune autre.

Le cadre une fois posé, l'objectif de notre politique fiscale doit être que nos entreprises et nos concitoyens aient des prélèvements obligatoires dans la moyenne de ce qui se passe chez nos partenaires européens. En clair, il n'est plus supportable pour notre économie d'avoir des impôts qui n'existent pas chez nos voisins, ou de les avoir à un niveau à ce point supérieur à ce que ces derniers connaissent. Accepter la compétition économique et une chose, la vivre avec des « boulets aux pieds » qui rendent toute espèce de succès impossible en est une autre. Il ne s'agit donc pas d'imiter les Allemands, les Britanniques voire les Espagnols, mais d'être suffisamment pragmatiques pour éviter la disparition de tout notre appareil de production. Il ne s'agit pas d'une posture idéologique, de se revendiquer d'une école plutôt qu'une autre, mais de faire preuve de bons sens. Car si nous continuons comme nous avons l'habitude de le faire, je ne donne pas dix ans par exemple à notre agriculture avant qu'elle disparaisse de la scène internationale. Comment vendre nos produits sur les mêmes marchés quand les producteurs fruitiers ibériques ont nettement moins de charges sur leurs travailleurs saisonniers que les Français ? Comment lutter contre les éleveurs Allemands quand les charges dans leurs abattoirs sont notoirement inférieures aux nôtres ? Comment parler de concurrence loyale avec de telles règles européennes pour les travailleurs détachés, qui poussent à un insupportable dumping social ?

Je pourrais multiplier les illustrations, c'est tout notre appareil de production qui se trouve être en grand danger par la seule faute d'un environnement fiscal et juridique à ce point déséquilibré avec nos voisins. Ce qui est vrai pour les personnes morales l'est tout autant pour les personnes physiques. Nous faisons fuir tous ceux dont l'argent serait bien nécessaire à notre économie, tout en nous révélant incapables de maîtriser des flux migratoires qui déséquilibrent nos régimes sociaux. La situation est devenue si grave qu'elle ne peut en aucun cas rester en l'état.

C'est ce raisonnement qui m'a conduit à proposer la suppression immédiate de l'impôt sur la fortune. Le coût est non négligeable puisqu'il s'agit de 4,5 milliards d'euros. Mais, il faut bien faire un choix. L'Europe ou l'ISF ? On peut, en effet, vouloir un impôt spécifique pour les plus riches, mais, dans ce cas, il faut sortir de l'Europe, car celle-ci a posé en principe la liberté de circulation et d'installation des Européens sur tout le continent. Si nous sommes les seuls ou quasiment à choisir l'ISF, nous poussons alors, par un mouvement naturel, nos concitoyens les plus aisés, les plus entreprenants, les plus inventifs, à choisir d'investir leur patrimoine ailleurs qu'en France. Qui profite de cet arbitrage ? Les Belges, les Britanniques, les Suisses. Qui en pâtit ? La France et les Français les moins fortunés qui ont plus besoin que les autres que notre pays renoue avec une croissance forte. Je sais parfaitement l'usage polémique qui sera fait de mon propos. Mais je suis prêt à l'affronter car je suis convaincu qu'il s'agit d'une décision majeure pour l'image de la France et pour le dynamisme de notre économie. Si le chômage est notre priorité, nous devons alors faire ce qu'il faut et ne pas céder un pouce de terrain devant la pensée unique, le politiquement correct et l'obsession égalitariste d'une gauche obnubilée par le nivellement.

S'agissant des personnes physiques, je crois absolument nécessaire une baisse immédiate, dès juillet 2017, de 10 % de l'impôt sur le revenu. La situation des classes moyennes est devenue plus que préoccupante. Elles ont été littéralement matraquées par la frénésie fiscale du gouvernement socialiste, puisqu'il s'est agi de 50 milliards de nouveaux prélèvements sur les ménages et les entreprises depuis 2012 ! Nous sommes devenus les champions d'Europe des prélèvements obligatoires devant le Danemark en 2016. Du jamais vu… Cotisations sociales, plafonnement du quotient familial, diminution des allocations du même nom, hausse de l'IRPP, taxes diverses… Tout y est passé, sans l'ombre d'un remords chez des socialistes déterminés à dépenser sans compter et donc à prélever sans limites. À ce jeu destructeur, les « riches » ne sont jamais assez

nombreux. Il faut rapidement trouver de nouvelles victimes expiatoires pour augmenter sans fin le rendement
de l'impôt. C'est ainsi que furent ciblés simultanément
les professions libérales, les artisans, les commerçants,
les cadres, les familles, en bref, tous ceux qui travaillaient déjà dur et souvent s'en sortaient à peine. Or
c'est d'abord sur eux que reposent le dynamisme et
la vitalité d'une économie. Comment espérer un surcroît de croissance si la classe moyenne est frappée
de découragement et se retrouve à la fin d'un mois
de labeur sans rien pouvoir mettre de côté ? Il nous
faut adresser à tous les Français un message immédiat : celui de la diminution des prélèvements dès
le commencement de l'alternance. Nous ne pourrons
nous permettre d'attendre pour mettre en œuvre cet
engagement. Il y a à cela au moins deux raisons. La
première est liée au scepticisme des Français à l'endroit
de toute parole publique. Rien ne sert de promettre.
Il faudra surtout tenir. La diminution de 10 % de
toutes les tranches de l'impôt sur le revenu sera donc
adoptée dès le collectif budgétaire de juillet 2017.
La seconde, c'est qu'il nous faudra compenser l'effet
potentiellement récessif de la diminution des dépenses
publiques. Le but n'étant pas de faire mourir l'économie française guérie. Cette baisse des prélèvements
soutiendra la croissance en augmentant la consommation. Enfin je veux dire à tous ceux qui, dans ma
famille politique, ne croient pas possible cette baisse
d'impôt, qu'il y aurait une grande incohérence pour
nous à dénoncer les augmentations d'impôts socialistes alors que nous sommes dans l'opposition et à
les conserver une fois revenus au pouvoir. On croit

en ses idées ou l'on n'y croit pas. Pour moi les choses sont claires, une alternance sans diminution massive des prélèvements obligatoires ne serait pas une alternance. J'assume donc ce choix, et j'en fais même l'un des marqueurs des divergences irréconciliables entre la gauche et la droite. Sauf évidemment à se revendiquer de cette dernière sans en être... Ce qui, chacun l'aura compris, n'est pas mon cas. En effet si l'on considère le travail comme une des valeurs centrales de notre société, il ne faut pas craindre d'assumer le choix de la récompense de celui-ci. Qu'y a-t-il de plus naturel que de vouloir assurer la promotion sociale de sa famille, lui donner un meilleur confort de vie, obtenir un revenu plus conséquent ? Pourquoi, d'ailleurs, se donner tant de mal si au final on ne peut en recueillir aucun bénéfice parce que l'État prend tout par le moyen d'une fiscalité devenue au fil des années confiscatoire ? La véritable égalité n'est pas que chacun ait le même revenu mais que tous aient un revenu conforme à ses efforts, à son mérite, à son engagement. L'égalité ne doit pas être formelle, car elle est par nature relative à l'investissement personnel de chacun de nous. C'est ce même raisonnement qui m'a convaincu que lorsqu'on avait travaillé durement toute sa vie et payé des impôts, il était normal de pouvoir transmettre en franchise de ces derniers son patrimoine à ses enfants. Travailler pour que ses enfants commencent dans la vie plus haut que soi-même on a pu le faire donne un sens à l'existence. Qu'y a-t-il de plus beau que de construire pour ses enfants et ses petits-enfants ? Le mot héritage ne me fait pas peur. Car bien au contraire il signifie que l'on s'inscrit dans une lignée. Que l'on ne vient pas de nulle part. Que nous ne sommes pas qu'une page blanche. Que ceux qui nous ont précédés ont travaillé, créé, transmis, semé... On ne va tout de même pas s'excuser d'avoir eu des parents et des grands-parents qui ont su, à la sueur de leur front, accumuler un patrimoine. Ce devrait être une source de fierté. Car, au final, cela profite à la société dans son ensemble.

Je crois donc à la nécessité de modifier en profondeur le système de taxation des successions. Et, là encore, je veux que nous regardions ce qui se passe ailleurs, parce qu'il faut cesser de penser la fiscalité française en vase clos. En France, la taxation des successions varie de 5 à près de 50 %, selon les éléments du patrimoine considérés. Un tel niveau de taxation est largement plus élevé qu'en Allemagne, en Belgique, en Italie et au Royaume-Uni. Par ailleurs, si en France il existe pour les successions en ligne directe un abattement de 100 000 € sur la part de chaque héritier, cet abattement est de 400 000 € en Allemagne, de 1 million d'euros en Italie et de l'ordre de 390 000 € au Royaume-Uni. Si je suis élu, je souhaite que nous reprenions le système allemand, avec cette règle simple : pas de taxation des successions en ligne directe jusqu'à 400 000 euros.

De la même manière, nous ne pouvons plus laisser les transmissions d'entreprises être autant pénalisées par notre système fiscal. Concrètement, nombreux sont les chefs d'entreprise qui peinent à organiser la succession, compte tenu du niveau de taxation que subissent leurs héritiers. Les dispositifs d'exonération actuels imposent à ces derniers de conserver leurs titres, alors qu'il serait bien plus efficace d'avoir un système simple qui impose uniquement de conserver l'activité et de maintenir le même niveau d'emplois, y compris avec un autre propriétaire. Résultat, notre tissu industriel y trouve une source de rigidité, au détriment du développement des entreprises et des emplois, les héritiers étant conduits à ne surtout rien toucher, sans nécessairement avoir la capacité de continuer à développer leur entreprise et à innover. À l'avenir, je veux passer à un système bien plus efficace économiquement, voulu par le gouvernement allemand : la transmission d'entreprise fera l'objet d'une exonération de 85 %, voire d'une exonération totale, si l'activité est maintenue pendant cinq ans au minimum, avec le maintien de la majorité des emplois correspondant. En tout état de cause, je souhaite que soit toujours privilégiée l'entreprise, sa pérennité, sa capacité à se développer et donc à générer de la croissance.

Mais le volet prioritaire de diminution des prélèvements obligatoires devra concerner massivement les charges pesant sur le travail. Ce mouvement de baisse est devenu vital. Nous ne pouvons plus continuer à avoir aussi peu de créations d'emplois dans le secteur privé. Nous ne pouvons plus assister, passifs, à la disparition de pans entiers de notre industrie et de notre agriculture. Nous ne pouvons plus laisser nos entreprises affronter la mondialisation, la concurrence internationale avec autant de contraintes. Nous ne pouvons plus avoir autant d'entreprises, de professions libérales, de travailleurs indépendants, d'artisans qui n'embauchent pas, ne créent pas d'emplois, parce que les charges, les taxes et les normes les en empêchent.

La France doit demeurer une terre de production par tous les moyens possibles. C'est ce que doit comprendre la « France protégée », celle notamment de la fonction publique, qui doit voir cette autre France qui se bat pour créer des emplois, gagner des marchés, s'imposer à l'étranger. Il ne s'agit en aucun cas, du moins dans mon esprit, d'opposer l'une à l'autre, mais que l'une comprenne l'autre. Laisser les choses en l'état, c'est cautionner les destructions d'emplois massives dont les ouvriers, les employés, les salariés payent chaque jour le prix. Je m'y refuse.

La baisse de charges n'est donc pas une alternative, mais une obligation. Reste à déterminer la cible prioritaire, c'est-à-dire le niveau de salaires sur lequel la baisse de charges doit porter en priorité. À mes yeux, elle doit être concentrée sur les salaires au niveau du SMIC, et je veux m'en expliquer.

Sous l'effet de la mondialisation et du progrès technologique permanent, notre industrie détruit massivement des emplois peu qualifiés. La machine concurrence le travailleur du bas de l'échelle, l'innovation donne plus d'importance aux emplois qualifiés, et moins à ceux qui ne le sont pas. Ce mouvement va devenir de plus en plus fort, sous l'effet de la digitalisation, qui agit comme une véritable quatrième révolution industrielle. Elle doit être encouragée, parce qu'elle sera une source majeure de productivité et de croissance dans les années qui viennent. Il en va de la compétitivité de notre industrie et de notre capacité à relocaliser des activités en France plutôt que subir des délocalisations dans des pays à bas coût de main-d'œuvre. Mais tout cela ne fera que renforcer le besoin d'une main-d'œuvre très qualifiée et fragiliser davantage l'emploi faiblement qualifié. Dans les pays qui ont vaincu le chômage de masse, les destructions d'emplois peu qualifiés dans l'industrie sont plus que compensées par les créations d'emplois peu qualifiés dans les services. Pas en France. Et c'est l'un de nos grands problèmes.

L'excès de charges sociales pesant sur ces salaires peu qualifiés en est la cause première. Il explique, par exemple, les centaines de milliers d'emplois non créés dans le secteur du commerce, de l'hôtellerie, du tourisme au sens large. Et c'est donc là qu'il nous faut impérativement agir. Je souhaite en conséquence une exonération totale des charges au niveau du SMIC, qui diminuerait pour s'annuler progressivement à 1,6 SMIC. Cette mesure sera couplée à la transformation du fameux CICE, tellement complexe que la plupart des petits chefs d'entreprise le qualifient d'usine à gaz, en une véritable baisse de charges, permanente, gravée dans le marbre, intégralement ciblée sur les bas salaires.

De toutes les mesures envisagées depuis des années contre le chômage, la baisse des charges est celle qui a démontré la plus forte efficacité. Aux emplois créés viendront s'ajouter tous ceux qui ne seront pas supprimés. Restera à trancher la délicate question du « quantum » de la mesure envisagée.

C'est un sujet sensible parce que si le montant n'est pas assez élevé, elle perdra toute visibilité et n'aura pas l'effet escompté, et, à l'inverse, s'il est trop élevé, je me trouverai accusé de vouloir ruiner les finances publiques. Infernal dilemme qui en règle générale se termine par un arbitrage plus ou moins bancal, prétendument du juste milieu, qui, au final, mécontente tout le monde. Je crois que la seule chance de viser juste en la matière, c'est d'essayer de demeurer cohérent. Si le chômage est, comme je l'ai souligné à maintes reprises, notre priorité absolue, tant est prégnant le risque que fait peser sur la cohésion de la société française nos 6 millions de chômeurs, alors la logique s'impose d'une baisse ambitieuse, forte, visible du poids des cotisations sociales. Quitte à faire un choix, autant qu'il soit structurant, volontariste et dénué de toute ambiguïté. Voilà pourquoi je souhaite doubler le montant des sommes aujourd'hui dédié au CICE. Il s'agira donc de pas moins de 34 milliards d'euros que, au final, nous consacrerons à la compétitivité de nos entreprises par un mouvement de diminution des cotisations sans précédent.

Je sais que cette proposition va immédiatement se heurter à ceux qui souhaitent que la baisse des charges sur le travail concerne l'ensemble des salaires, et non pas seulement l'emploi peu qualifié. Je connais leurs arguments, car j'en ai longuement discuté. L'emploi qualifié, c'est l'emploi de l'industrie soumise à la concurrence internationale, celui de la France exposée à la mondialisation. Mais il y a une réalité encore plus incontestable :

80 % des chômeurs n'ont pas dépassé le BAC ; 40 % n'ont aucun diplôme. L'argent public doit être consacré au cœur du problème, et le cœur du problème du chômage en France, c'est l'emploi peu qualifié.

Je connais aussi la caricature classique qui consiste à cataloguer la baisse de charges dans la catégorie des réponses partielles et court-termistes, parce que la compétitivité et l'emploi nécessiteraient d'abord une politique d'innovation et de formation ambitieuse. On s'est si souvent servi de ce type d'arguments pour ne rien faire sur les charges sociales. Je veux réaffirmer à l'inverse que, dans mon esprit, les deux ne s'opposent pas : nous avons besoin de l'un et de l'autre. C'est bien pour cette raison que je souhaite remédier à la situation consternante de la formation en alternance, qui a décliné depuis 2012, avec un nombre de jeunes largement inférieur à ce que connaissent nos partenaires. Il est vrai que, dès son arrivée au pouvoir, le gouvernement a annoncé vouloir remettre en cause l'aide financière attribuée aux entreprises qui y recouraient, ce qui augurait mal de sa politique en la matière. Pour ma part, je suis favorable à ce que l'apprentissage devienne la voie de droit commun pour l'obtention d'un bac professionnel. Ce serait un changement majeur, car aujourd'hui 1/3 seulement des bacheliers professionnels sont en apprentissage, contre 2/3 en Allemagne. Concrètement, cela impliquera que les lycées professionnels ouvrent des sections d'apprentissage en leur sein, à l'image des CFA, ce qui aurait en outre un effet positif pour les finances publiques, puisqu'une formation en apprentissage a en moyenne un coût moins élevé.

À ce mouvement pour les entreprises devra s'ajouter une mesure propre aux familles si durement éprouvées par une fiscalité devenue délirante ces dernières années. Je souhaite la suppression de toutes les charges sur les emplois à domicile. Il s'agit là d'un véritable enjeu de société, dans la mesure où l'on considère la famille comme « la » cellule de base. François Hollande a réussi en la matière deux exploits inédits. Le premier est le passage en 2015 du taux de natalité chez les femmes françaises au-dessous de la barre fatidique des deux enfants par femme. C'est l'année la plus faible en matière de natalité depuis 1999. Le second est la diminution du nombre des emplois familiaux, alors qu'il avait progressé depuis quinze ans. Ces deux phénomènes sont directement liés à la remise en cause des avantages fiscaux liés aux services à la famille. Il s'agit bien d'une situation ubuesque dans un pays où tant de femmes ont besoin de travailler, où il manque des structures collectives de garde, et où les besoins des familles sont illimités au regard de l'allongement de la durée de la vie, du défi que représente la garde de parents devenus lourdement dépendants, ou encore des difficultés que rencontrent tous ceux qui sont confrontés au handicap. La suppression de toutes les charges patronales sur les salaires versés à un emploi à domicile au niveau du SMIC permettra de lutter contre le travail au noir, facilitera la création de nombreux emplois non qualifiés, aidera les femmes à concilier une vie familiale et une carrière professionnelle, soulagera les aidants familiaux. Je crois plus que jamais à la nécessité d'une politique familiale ambitieuse. Ce ne sont pas de « mots » que les familles ont besoin mais de « faits ». Le développement massif des emplois familiaux est à la fois un enjeu économique par les emplois qui seront créés et sociétal par la place centrale qu'il nous faut reconnaître à la famille. L'enjeu à mes yeux est bien celui de l'équilibre de notre société. Comment espérer une France rayonnante et épanouie avec des familles qui n'y arrivent plus et qui, à défaut d'être aidées, se sentent devenir les victimes expiatoires des socialistes ? Cet effort pour les familles sera de l'ordre de 1 milliard d'euros et représentera une baisse de 20 % du coût payé par la famille. L'enjeu en vaut largement la chandelle. J'ajoute qu'il s'agit également d'une mesure de justice fiscale. En effet, qui peut comprendre la logique consistant à faire payer l'IRPP sur les charges d'un emploi au service de la famille. Alors même que les entreprises ne payent pas d'impôt sur les bénéfices sur les charges des salaires de leurs collaborateurs. La famille en tant qu'employeur est donc moins bien traitée que l'entreprise !

Nous devrons enfin nous préoccuper de la fiscalité française de l'épargne. Je veux parler des dividendes, des intérêts, du patrimoine immobilier ou encore de l'assurance vie. En la matière, notre fiscalité est encore une fois l'une des moins compétitives du continent européen, exception faite du régime de l'assurance vie qui est très favorable alors même qu'il peut ne présenter aucun risque. Chez nos voisins allemands, la fiscalité de l'épargne est particulièrement simple puisqu'il s'agit d'un prélèvement libératoire de 26 % sur tous les revenus financiers. Nous vivons la

situation exactement inverse en France où chaque produit d'épargne a un régime fiscal qui lui est propre, et
surtout avec des taux de taxation largement supérieurs.
Lorsqu'un ménage perçoit les intérêts de son épargne,
leur taxation peut aller jusqu'à 60 %, contre 26 % en
Allemagne ou 25 % en Belgique. Lorsque le patron
d'une PME se prive de salaire et compte sur les dividendes, quand son activité lui permet d'en recevoir,
il est taxé jusqu'à 42,5 %, quand son homologue n'est
taxé qu'à 30,5 % au Royaume-Uni, 26 % en Allemagne
et 25 % en Belgique.

En les cataloguant « revenus du capital », avec toute
l'idéologie qui accompagne ce type de label, le pouvoir en place a pénalisé des sources essentielles de
financement de nos entreprises et de pouvoir d'achat
des ménages. Rien ne sert notamment de financer, sur
de l'argent public, des aides aux entreprises, si c'est
pour, dans le même temps, dissuader l'investissement
de l'argent privé par des ponctions fiscales excessives
sur les dividendes.

Le nouveau cadre que je propose sera donc simple.
Les dividendes, les intérêts et les plus-values mobilières
seront soumis, sur option, à un prélèvement forfaitaire
libératoire au taux unique de 26 % tout compris. Ce
prélèvement couvrira donc non seulement l'impôt sur
le revenu, mais aussi les prélèvements sociaux (CSG,
CRDS, etc.). Les revenus fonciers seront quant à eux
soumis à un prélèvement forfaitaire libératoire sur
option de 33,3 %, là aussi prélèvements sociaux inclus.

C'est de la simplicité fiscale que naîtra la confiance,
et c'est grâce à celle-ci que l'économie et le pouvoir
d'achat des Français se porteront mieux.

S'agissant des plus-values immobilières, aujourd'hui, elles sont exonérées partiellement au bout de vingt-deux ans, et totalement au bout de trente ans. C'est un délai excessivement long, qui gèle les transactions immobilières et favorise la montée des prix. Il faudra revenir à une durée de quinze ans, beaucoup plus compatible avec la nécessaire fluidité du marché de l'immobilier.

Une fois engagé ce travail indispensable, je veux à toute force donner aux contribuables la stabilité fiscale qui leur a tant fait défaut, et qui est un objectif prioritaire à atteindre. Les changements incessants de fiscalité, les remises en cause d'avantages rétroactivement décidés, les marches avant suivies de marches arrière tout aussi incohérentes ont profondément déstabilisé les contribuables français. Leur vision de l'avenir s'est considérablement assombrie, réduisant d'autant leur appétence pour le risque et donc l'investissement. Chacun s'attend désormais au pire, anticipant bien naturellement une possible dégradation de sa situation personnelle. Le crédit d'impôt recherche en constitue l'exemple le plus caricatural, avec des chefs d'entreprise qui le perçoivent, avec l'accord de l'administration, puis sont contrôlés sur le seul motif qu'ils l'ont perçu ! Quand ils ne doivent pas subir les changements de pied de l'administration, qui modifie son interprétation plusieurs années après avoir autorisé le versement des sommes concernées, et en demande donc le remboursement. Tout cela finit par peser très lourd sur les perspectives de croissance de la France. C'est pourquoi je souhaite apporter un changement drastique à nos habitudes fiscales. Au lieu de laisser chaque ministre tout au long du quinquennat égrener des initiatives fiscales plus ou moins pertinentes, ajoutant chaque fois davantage de complexité à un système qui n'en a nul besoin, une loi pluriannuelle des finances publiques fixera dès l'été 2017 le cadre fiscal général sur toute la durée du quinquennat. Le gouvernement s'engagera dès lors à ne proposer au vote du Parlement aucune autre disposition fiscale durant les cinq années suivantes, sauf si naturellement elles devaient être plus favorables aux contribuables. Cela sera salutaire en évitant, comme c'est le cas aujourd'hui, que les règles du crédit d'impôt recherche continuent à varier d'une année sur l'autre. Je pourrais multiplier les exemples de ce type.

Nous devons enfin cesser d'avoir un système fiscal qui autorise la rétroactivité, c'est-à-dire la modification des règles de l'année en cours. Désormais, le changement de règle fiscale devra nécessairement ne valoir que pour l'avenir. Le passé sera définitivement protégé. Le progrès pour les contribuables par cette seule mesure sera immense.

* * *

Il me faut évoquer la croissance car c'est un sujet crucial. Sans elle, rien n'est possible. Avec elle, tout devient envisageable. Non qu'elle puisse nous exonérer des grands efforts de réformes que nous devrons engager quoi qu'il arrive, mais elle facilitera beaucoup notre action en nous permettant d'avoir des résultats plus rapides. Il me faut rappeler à ce sujet des faits. Les chiffres sont sans appel et en tout cas difficilement contestables. De 2007 à 2012 la croissance française a été supérieure à la moyenne de nos partenaires européens, ce fut strictement l'inverse durant les quatre dernières années où jamais nous ne pûmes faire mieux que la moyenne de nos voisins. Et que dire de l'écart entre le taux de chômage français et la moyenne de l'OCDE qui est passée de 0,3 point en 2009 à 3,7 points au premier semestre 2016.

Ces chiffres démontrent avec éclat qu'une politique économique adaptée à la situation peut influer fortement et immédiatement sur les performances économiques d'un pays. Démentant ainsi tous les pseudo-spécialistes qui affirment que rien n'est possible et que « les politiques » ne peuvent plus peser sur les événements économiques. C'est faux. Je dirai même que cela l'est de plus en plus avec la mondialisation. La compétitivité dépendra en fait d'abord des décisions nationales que nous devrons avoir le courage d'assumer. Je veux rappeler enfin que lors de la dernière année complète de mon quinquennat, la croissance a atteint le chiffre de + 2,1 %, niveau jamais atteint depuis lors. C'est bien simple, depuis 2012, l'Allemagne a eu une croissance près de deux fois supérieure à la nôtre et le Royaume-Uni trois fois ! Ce constat se passe de commentaire tant il condamne définitivement les choix économiques socialistes.

La fiscalité sera essentielle pour retrouver notre compétitivité mais cela ne sera pas suffisant. L'environnement normatif et notre législation du travail devront être traités sans excès mais sans faux-semblant non plus. Il n'est pas question à mes yeux de signer je ne sais quel chèque en blanc aux entreprises pour reprendre la phraséologie habituelle. Je connais la propension qu'ont certains, notamment dans les très grandes entreprises, à empocher des avantages et à ne guère donner en échange. C'est sans doute pour cela que je n'ai jamais été ce que l'on appelle un libéral pur et dur. Je veux en effet m'adresser à tous, au peuple dans son ensemble et en particulier à tous ceux qui ont tant souffert des crises économiques à répétition que nous avons connues. Je n'accepterai jamais que l'on puisse dire qu'ils sont trop payés et donc qu'ils seraient responsables de nos déboires économiques. Ce serait parfaitement indécent, déplacé, outrancier. Avec les heures supplémentaires nous avions réussi à les toucher et donc à regagner en partie leur soutien. Je veux continuer dans la même veine. La gauche a trahi le peuple, les travailleurs, les salariés modestes. La gauche les a abandonnés car elle ne les comprend plus. Nous devons leur parler. Nous avons besoin d'eux. Le redressement ne peut se faire contre eux car il ne se fera qu'avec eux. Cette conviction m'habite. Elle est profondément ancrée en moi. Cette élection présidentielle ne se jouera ni à gauche, ni à droite, ni au centre, mais « au peuple ». Qui sera capable de retenir son écoute l'emportera. Il sera l'enjeu majeur du prochain scrutin. Il faudra savoir lui offrir une alternative crédible aux extrêmes et au populisme. Pour cela, nous devrons avoir le courage de décrire la réalité telle que les Français la vivent. Pour qu'enfin le peuple de France se sente considéré, respecté, reconnu.

Ce préalable posé, nous devons avoir la lucidité de mesurer que depuis trop longtemps notre pays s'est délecté d'une inflation normative dont il n'est pas exagéré de dire qu'elle est insensée. Le pire étant que nous ne nous contentons pas de voter les nouvelles règles, en plus nous les appliquons ! C'est même bien plus grave puisque notre administration, qui est toujours très efficiente pour les mettre en œuvre, engendre naturellement sa propre interprétation qui vient renforcer le maquis inextricable de notre réglementation. Chaque nouvelle disposition entraîne une kyrielle de nouvelles interdictions. Plus personne n'est en mesure de s'y retrouver, il est donc nécessaire d'y mettre un coup d'arrêt immédiat.

En ce domaine, la première mesure, et qui n'est pas que symbolique, consistera à supprimer le principe de précaution auquel Jacques Chirac avait voulu donner une valeur constitutionnelle. Je ne veux pas lui faire le procès de cette initiative. Je peux même en comprendre la louable intention, car sans doute, il ne pouvait pas prévoir qu'avec le temps ce principe de précaution se transformerait en principe d'interdiction. En effet, de peur des conséquences, plus personne n'ose innover. Alors que nous aurions tellement besoin de la recherche, du progrès, de la science. Nous nous trouvons petit à petit littéralement paralysés par les lobbies de l'idéologie du retour en arrière, de la décroissance, de la méfiance à l'endroit de toutes formes de progrès. Là où le progrès était la solution, il est maintenant considéré comme la menace.

La mode est de s'insurger contre le nucléaire, les nouveaux médicaments, la productivité dans l'agriculture. Le comble ayant été franchi avec le gaz de schiste. Au moment où des pays comme les États-Unis deviennent autonomes en matière d'énergie, la France qui n'a ni gaz ni pétrole s'interdit même la recherche sur le schiste ! Nous devons céder devant une écologie d'extrême gauche à qui le pouvoir actuel vient mendier un soutien pourtant bien aléatoire. Nous préférons nous préoccuper de cette minorité rétrograde plutôt que de consacrer toute notre énergie aux 6 millions de chômeurs. Fermer Fessenheim est une aberration qui coûtera plus de 300 millions d'euros chaque année aux contribuables français par les recettes perdues. S'interdire de travailler sur le schiste. Empêcher la recherche. Rien n'est trop beau ni trop cher pour nos Verts.

Il nous faudra inverser cette tendance. Pour cela, nous remplacerons le principe de précaution par celui de la responsabilité. Ce changement est considérable car au nom de la précaution on s'interdit de faire. Avec celui de la responsabilité, on étudie, on fait puis on en assume les conséquences. Ce signal sera majeur pour indiquer que la France renoue avec sa tradition scientifique, innovatrice, créatrice. L'expérimentation encadrée, y compris pour le gaz de schiste, sera encouragée.

L'investissement dans la filière nucléaire sera repris. Il est tout de même incroyable, alors que, depuis l'origine de la Vᵉ République, le consensus de la gauche et de la droite n'avait jamais été brisé sur ce sujet, qu'il ait donc suffi d'une petite manœuvre électorale pour sacrifier soixante années de travail de nos meilleurs ingénieurs. Grâce au nucléaire, la France produit par elle-même et pour elle-même 75 % de l'électricité que nous consommons. Mieux encore, cette électricité nous coûte deux fois moins cher que celle qui est payée par nos voisins allemands. Et enfin sur un plan strictement environnemental, je veux rappeler que nous émettons, dans notre production d'électricité, sept fois moins de CO_2 que l'Allemagne. Quand je vois les Verts allemands venir protester contre nos centrales nucléaires, je me dis qu'ils ne manquent pas d'aplomb, alors que dans leur pays les centrales électriques à charbon ont été rouvertes, rejetant en France la pollution considérable qui en découle. Je veux préciser que quels que soient les pseudo-arguments juridiques avancés par le gouvernement, nous n'accepterons pas la fermeture de Fessenheim. Les Américains qui ont le même type de centrales viennent de les prolonger de vingt années. L'Autorité de sûreté nucléaire y est favorable. Pourquoi devrions-nous nous priver des recettes attendues d'une centrale qui fonctionne de façon sûre et qui fournit à l'Alsace l'intégralité de l'électricité dont elle a besoin ? De plus, tout cela n'a aucun sens, car soit les centrales nucléaires sont dangereuses, et alors il faut stopper nos cinquante-huit réacteurs nucléaires, soit elles ne le sont pas et dans ce cas pourquoi s'acharner sur Fessenheim ?

Au-delà du nucléaire, de la recherche sur le gaz de schiste, du principe de responsabilité, je veux en outre répondre avec force à la maladie normative qui s'est emparée de la France et de l'Europe. Je crois à la régulation mais je suis convaincu que nous devons combattre l'excès de réglementation. La dernière initiative sur « le prétendu devoir d'alerte » est la caricature de ce nouvel esprit régressif. Voici que désormais chacun d'entre nous est non seulement autorisé mais encouragé à dénoncer les initiatives « illégales » de son collègue. Avec un parfait souci du détail, les frais d'avocat du dénonciateur seront même pris en charge par l'État et donc par le contribuable français. On imagine aisément la suite, qui ouvrira tant de possibilités de dérives nauséabondes. C'est assez simple, je veux tout l'inverse. Je veux la confiance, l'initiative, la prise de risque, l'innovation, le progrès. Or, justement, la montagne de normes qui s'est abattue sur nous empêche tout cela et nous fait accumuler un retard considérable.

Je propose que nous adoptions une règle simple qui consistera à refuser toutes normes qui seraient supérieures aux exigences de la moyenne européenne. Nous garantirions ainsi à nos entreprises comme à nos particuliers une concurrence loyale au sens où ils ne se verraient pas imposer des obligations que les autres, c'est-à-dire leurs concurrents, n'auraient pas. Cette décision sera de nature à sauver nos agriculteurs particulièrement menacés par cet afflux normatif.

Enfin, je souhaite que, pour le futur, toute nouvelle norme soit bornée dans le temps, par exemple cinq ans. Au bout de cette période, un bilan serait tiré des conséquences positives ou négatives de cette mesure. Car le pire, c'est qu'avec nos traditions la règle une fois adoptée demeure pour la nuit des temps administratifs… Lorsqu'une nouvelle norme sera adoptée, le gouvernement pourra y appliquer une date d'expiration, à l'image d'une date limite de consommation sur les produits alimentaires. Au moment de l'expiration, la norme sera abrogée automatiquement, sauf avis contraire expressément formulé.

Je demande également que l'on introduise de la souplesse dans l'application de toutes ces règles. Je proposerai donc que, dans chaque département, le préfet puisse, sous sa propre responsabilité, aménager les normes aux réalités du territoire dont il a la charge. Il devra le faire en motivant sa décision, l'objectif n'étant pas de déroger à la règle, mais d'en permettre une application pertinente. Ce sera une façon de remettre du bon sens dans la décision administrative. L'application rigide et uniforme de la norme est l'une des spécificités françaises qui explique l'immense lourdeur de tant de processus de décisions administratives.

L'adoption de toutes ces mesures permettra de soulager la partie la plus dynamique de la société française. Je pense notamment aux élus complètement bridés dans leurs initiatives municipales. J'en ai discuté longuement avec François Baroin, président de l'Association des maires de France, qui s'est fait le porte-voix de tous les maires confrontés à ces complexités administratives. Engager un programme de construction ou d'aménagement est devenu une épreuve semée d'obstacles. Les meilleures énergies s'y épuisent, tant la faculté des empêcheurs de tourner en rond qui s'opposent en permanence au moindre projet a été poussée à son paroxysme. La prime est donnée à celui qui prend le moins de risque, qui se contente de gérer sans investir, qui ne veut faire aucune vague. Je crois au contraire qu'il nous faut aider les bâtisseurs, les visionnaires, les audacieux. C'est dans cet esprit que nous limiterons les délais de recours contre les permis de construire et que nous renforcerons les pénalités pour recours abusif devant les juridictions administratives. Celui qui veut tout empêcher ne peut avoir plus de forces que celui qui veut créer.

Lever tous ces freins sera d'ailleurs l'une des conditions pour que le Grand Paris soit conforme à la direction que nous lui avions fixée en 2008. Je voulais à l'époque que nous retrouvions l'ambition des grands projets d'infrastructures, que nous améliorions profondément les réseaux de transport franciliens et que nous créions des pôles de recherche de dimension mondiale. Le pouvoir en place a réduit cette ambition à un Meccano institutionnel illisible. Il y a, dans la région Île-de-France, un conseil régional élu au suffrage universel, 8 départements, 1 280 communes, les intercommunalités et une nouvelle instance dénommée « La Métropole du Grand Paris ». Tout se chevauche, s'additionne, se contredit. Il faudra considérablement simplifier ce qui est devenu un monstre administratif. Le retour au conseiller territorial nous permettra de rapprocher les départements et la région. Quant à la structure du Grand Paris, il faudra la supprimer. Le conseil régional pouvant utilement reprendre toutes ses compétences.

On ne dira jamais assez combien l'empilement de toutes ses normes est l'une des causes fondamentales de la perte de compétitivité de l'économie française. L'inaction en la matière serait particulièrement coupable parce que l'argument financier ne peut même pas être évoqué. En effet, supprimer des normes ne coûtera pas un centime. Au contraire, cela pourra en économiser beaucoup.

C'est d'ailleurs une des conditions du rétablissement de la confiance, en particulier dans le secteur de l'immobilier et de la construction, qui a souffert de la loi Alur qu'il conviendra d'abroger dès l'alternance. Il faut impérativement redonner de la liberté aux acteurs du logement. La logique de surprotection qui a prévalu jusqu'à maintenant a généré de nombreux effets pervers et des lourdeurs qui contribuent aujourd'hui au blocage du marché du logement. Cette stabilité normative permettra de faire baisser les coûts de construction. Mais il faudra aller plus loin. L'État doit devenir le « partenaire » des Français dans l'accession à la propriété en apportant un « coup de pouce » par sa garantie de l'apport des primo-accédants. Alors que les taux des crédits immobiliers n'ont peut-être jamais été aussi accessibles, force est de constater que les jeunes ménages ne décrochent pas plus facilement des prêts : c'est que le problème n'est plus dans le taux mais dans l'apport personnel. C'est ici que doit intervenir l'État. Je propose qu'il garantisse désormais une partie de l'apport personnel à hauteur de 10 % du prix total du bien immobilier, dans la limite d'un plafond. Les jeunes ménages pourraient avoir accès plus facilement au crédit immobilier. Il nous faudra également remettre à plat les règles de fonctionnement du logement social. Je pense à la loi dite SRU qui à force de contraintes, de sanctions indifférenciées, d'application dogmatique, ne correspond plus aux besoins de construction et de réhabilitation dans les zones tendues. Nous ne pouvons plus accepter que, à cause de ce système dirigiste et de cette obsession unique du logement social, il ne soit plus possible, dans les grandes villes, de construire que des logements très chers ou des logements très aidés. Et les classes moyennes ? Et le logement intermédiaire ? Il faut sortir de cette religion du tout social pour organiser l'accès au logement et à la propriété pour tous. Cela impliquera de changer de logique en considérant qu'un logement est social non pas en fonction de son financement public mais des caractéristiques et des revenus du ménage qui l'habite. Cette loi SRU ne doit donc plus être une sanction de la non construction dans le passé, mais une incitation à une construction équilibrée pour l'avenir, en y remettant du bon sens. Pour cela, je veux remettre le maire au centre du dispositif, afin que la commune puisse reprendre le contrôle des attributions en fonction des politiques d'aménagement local. Enfin, je propose une réforme profonde au 1 % logement, géré actuellement dans le cadre du paritarisme. J'ai conscience de bousculer un cadre établi, mais comment expliquer aux salariés français que l'argent collecté ne soit pas plus efficacement dépensé dans des structures qui devraient se rapprocher d'autres offices HLM ? Les taxes pesant actuellement sur la masse salariale des entreprises

pourraient être en partie rendues grâce aux économies dégagées. Une partie du parc existant serait
vendu prioritairement aux locataires actuels. Quant
aux logements qui ne seront ni repris par les offices
HLM ni rachetés par les occupants, ils reviendront
sur le marché à la vente. Cela contribuera à modérer
les prix, dans l'intérêt des Français qui veulent accéder à la propriété. Tout le monde serait gagnant. Ces
réformes seront indispensables pour débloquer le marché immobilier et favoriser l'accès à la propriété.

La problématique de notre législation du travail sera
plus complexe à mettre en œuvre. En effet, j'ai parfois
entendu à ce sujet des raccourcis bien approximatifs.
Ainsi en va-t-il de ceux qui prétendent qu'il suffirait
de diviser par deux le code du travail pour que tout
aille pour le mieux ! Je ne partage pas cet avis. En
effet, le vide ainsi créé serait immédiatement remplacé
par la jurisprudence foisonnante des tribunaux. Car
si le code du travail est trop imprécis, il y a fort à
parier qu'il sera complété à outrance par des décisions
judiciaires qui ne manqueront pas d'intervenir. Ainsi,
en quelques petites années, la situation sera revenue
à l'identique. La seule différence étant que la règle
ne sera pas définie alors par le législateur mais par
le juge. Mais pour l'usager, entreprise ou particuliers,
rien n'aura changé au sens où rien n'aura été amé-
lioré. Par ailleurs, je connais la répulsion de nombre
de nos compatriotes à l'idée que l'on puisse donner un
permis de licencier à n'importe quel moment et dans
n'importe quelle situation. Il n'est nullement dans mes
intentions de ne pas tenir compte de notre tradition

sociale. Je sais que chacun a besoin d'être défendu et que personne ne peut vivre dans l'angoisse de la précarité. Le besoin de sécurité et de stabilité est tout à fait légitime, mais il ne peut se payer d'une paralysie de notre système entrepreneurial. Le présupposé avancé, pour justifier l'inflation de notre législation sociale, de la volonté prétendument « perverse » des chefs d'entreprise de vouloir à tout prix licencier est tout aussi insupportable. Il s'agit d'une méconnaissance complète de l'état d'esprit réel de dizaines de milliers de patrons petits comme grands dont l'engagement total est mis au service de leurs entreprises. Leur constance est réellement « héroïque » au regard de l'ensemble des contraintes qu'ils doivent subir. Pour nombre d'entre eux, l'entreprise qu'ils ont créée représente toute leur vie, mobilise toute leur énergie, concentre tous leurs rêves. Certes, le chômage est d'abord un drame pour celui qui en est la victime, mais il est aussi une épreuve pour celui qui, bien souvent la mort dans l'âme, est conduit à le décider.

La réforme qu'il nous faudra engager sur ce sujet visera à sécuriser le droit du licenciement économique.

Il faut d'abord que les motifs du licenciement économique correspondent à la vie des entreprises. Et donc que le chef d'entreprise puisse la réorganiser pour anticiper et s'adapter aux évolutions économiques, sans avoir à attendre que sa société soit confrontée aux difficultés. Le seul motif de la réorganisation devra donc constituer une raison suffisante au licenciement. Il faudra également permettre l'introduction dans le contrat de travail de clauses fixant les motifs incontestables de la rupture, par exemple la perte d'un marché ou la fin d'un projet. Les motifs seraient listés dès la conclusion du contrat de travail et recevraient donc l'accord du salarié lors de la signature du contrat.

Deuxièmement, le rôle du juge sera non pas de juger de la pertinence d'un licenciement économique, mais de contrôler la matérialité de son fait générateur : la réorganisation a-t-elle ou non eu lieu ; la perte de contrat est-elle ou non réelle, etc. C'est au chef d'entreprise de décider des conséquences pour sa société de la perte d'un marché ou d'un client. Or, aujourd'hui, il ne le peut pas, puisque c'est le tribunal qui décide de la pertinence ou non d'un licenciement économique. Procédure bien étrange qui fait du juge le décideur final « en opportunité ». En outre, la réalité d'un motif économique du licenciement devra s'apprécier au niveau de l'entreprise, et non au niveau du groupe auquel elle peut appartenir. On ne peut pas prétexter vouloir préserver une filiale structurellement déficitaire au seul motif que le groupe auquel elle appartient ne l'est pas.

Le juge ne pouvant plus se substituer au chef d'entreprise dans les décisions de gestion, la souplesse sera ainsi rendue à l'entreprise et la peur d'embaucher sans pouvoir licencier en cas de nécessité disparaîtra.

Enfin, nous plafonnerons le montant des indemnités de licenciement en cas d'absence de cause réelle et sérieuse, ce qui reviendra à fixer un barème des indemnités de licenciement, et de réduire la durée de toute la procédure, en encadrant les délais de recours et de jugement. Ainsi nous diminuerons les incertitudes qui sont autant de raisons à l'attentisme de tant de chefs d'entreprise.

Je sais qu'il peut paraître contradictoire de vouloir sécuriser le licenciement pour favoriser la création d'emplois. Et pourtant c'est vrai. Cette politique marche partout où elle a été mise en œuvre. À l'inverse, les tentatives d'interdire tout licenciement ont toujours conduit à l'échec. Nous ne pouvons pas demeurer dans une telle situation de chômage de masse. Les risques qui pèsent sur la cohésion de notre société sont trop lourds. Il nous faut à toute force renforcer nos capacités à créer des emplois. Seules les entreprises sont en mesure de le faire. Pour leur compétitivité, elles ont un urgent besoin d'un assouplissement de notre droit social. J'ai choisi d'assumer ce changement. Comme toujours, nous serons jugés aux résultats. J'ai la conviction qu'ils seront au rendez-vous. En tout état de cause, l'immobilisme n'est pas une alternative.

La troisième priorité sera de simplifier les règles relatives aux instances de représentation du personnel. C'est la trop fameuse question du franchissement des seuils. Les règles du dialogue social en termes d'instances de représentation du personnel sont d'une rare complexité. La France est le pays d'Europe avec la structure de représentation du personnel la plus complexe, et de loin, avec pas moins de trois instances de consultation distinctes : délégué du personnel, comité d'entreprise, comité d'hygiène et de sécurité. Et la récente loi Rebsamen en a même rajouté une quatrième avec les commissions régionales paritaires interprofessionnelles pour les entreprises de moins de 11 salariés ! Cela freine le développement de nos petites entreprises, et limite notre capacité à en avoir des grandes. Pour les entreprises de plus de 2 000 salariés, on dénombre ainsi 12 mandats différents, issus du franchissement de 7 seuils !

Il faut simplifier de façon radicale cet excès de formalisme qui n'apporte rien à la qualité du dialogue social. Je propose donc que soit supprimé purement et simplement le seuil de 11 salariés pour les délégués du personnel et fusionné l'ensemble des instances de représentation du personnel au-delà de 50 salariés. Je précise que je souhaite naturellement la suppression des commissions régionales paritaires dans les PME au profit d'une élection *ad hoc* de représentants, lorsque l'entreprise souhaite conclure un accord. Dans mon esprit, le dialogue social se déroule d'abord et avant tout à l'intérieur de l'entreprise et entre les membres de celle-ci. Faire intervenir, du moins systématiquement, un intervenant extérieur, particulièrement dans les petites entreprises, revient à instaurer un désordre et une confrontation permanente. Et bien sûr, sans même parler du risque de politisation. C'est le contraire de la société de confiance et de proximité que je souhaite faire prévaloir.

La suppression du compte personnel de prévention de la pénibilité me semble constituer une autre évidence. On se demande même comment a pu être inventée une telle usine à gaz. Empêtré dans ses multiples promesses et ses incessants mensonges, François Hollande avait promis durant la campagne de 2012 de revenir à la retraite à 60 ans. Lui et ses amis avaient vigoureusement combattu notre réforme de 2010 dont la Cour des comptes a récemment rappelé qu'elle avait pourtant été déterminante pour sauver l'équilibre du régime vieillesse. Embarrassés par les promesses d'hier de son candidat, coincés par la réalité des chiffres, les socialistes ont donc inventé le compte pénibilité qui n'est rien d'autre qu'une façon de revenir aux 60 ans sans le dire... L'hypocrisie est décidément la marque de fabrique de ce pouvoir finissant. Car bien évidemment, cette « acrobatie » ne peut pas fonctionner. En déconnectant le droit à un départ anticipé à la retraite d'un constat médical établissant un lien entre l'exercice d'une activité professionnelle et l'état de santé du salarié, ce qui était la logique de la réforme de 2010, le compte pénibilité n'a fait que recréer des nouveaux régimes spéciaux. Alors même que c'est tout le contraire qu'il s'agissait de mettre en œuvre afin de relever le taux d'emploi des seniors et d'allonger à tout prix la durée d'activité. La pénibilité existe, c'est certain, et je n'ai nulle intention de contester cette idée juste qu'il y a des métiers plus « pénibles » que d'autres. Mais dans mon esprit, c'est à la médecine de faire l'expertise des conséquences particulières de la pénibilité sur chaque salarié. C'est en effet le seul moyen de disposer d'un critère objectif ne supportant aucune contestation. C'est la direction que nous avions retenue en 2010, dans le cadre de la réforme des retraites. Le choix d'une détermination préalable selon des critères administratifs ou politiques est ingérable, car à ce compte-là, tous les métiers sont pénibles, et chacun aura donc l'opportunité de se libérer de l'obligation de travailler plus longtemps pour faire face aux conséquences financières inéluctables de l'allongement de la durée de vie. Sans parler de la complexité pour les entreprises de se conformer à un système devenu inapplicable. Enfin, le coût de ce compte pénibilité est impossible à supporter pour notre régime vieillesse puisqu'il s'agira d'au moins 600 millions d'euros par an à partir de 2020 avec une possibilité réelle de grimper à 1,7 milliard d'euros dès 2030 accompagnée de la prévisible montée en charge et les innombrables demandes reconventionnelles. Au moment où les entreprises sont confrontées à une concurrence impitoyable, il est irresponsable de compliquer encore davantage leur gestion quotidienne avec une mesure coûteuse et techniquement inapplicable dont le seul but est de masquer une nouvelle trahison de la gauche à l'endroit de tous ceux qui avaient, bien à tort, cru en la parole de mon successeur. Nous supprimerons donc le compte pénibilité et nous engagerons un vaste plan, celui-là bien nécessaire, d'amélioration de la qualité de vie au travail.

Je suis convaincu que, en ce domaine, les perspectives d'amélioration sont immenses. Le « stress » au travail n'a jamais été aussi intense. La nécessité de faciliter l'existence, aujourd'hui impossible, des femmes qui doivent concilier vie professionnelle et vie familiale, est impérative, en développant massivement les crèches d'entreprise. La santé au travail est un sujet à propos duquel des progrès doivent être engagés sans tarder. La qualité, la sécurité, la régularité, le prix des transports en commun, qui sont indispensables à des millions de salariés, pour se rendre sur leur lieu de travail devront faire l'objet d'investissements massifs. Les chantiers sont multiples et tous aussi urgents les uns que les autres. D'ailleurs, plus il y aura de monde au travail, plus nous connaîtrons une croissance forte, et plus il sera possible de financer ces dépenses d'avenir. Au fond, c'est toujours la même chose : les socialistes sont obsédés par le travailler-moins, nous devons l'être par le travailler-mieux. Toute la différence entre eux et nous peut se résumer à cela. Et c'est bien loin d'être un détail.

Plus généralement, je souhaite qu'en matière de relations du travail, la loi ne s'applique qu'à titre supplétif, c'est-à-dire en l'absence d'accord entre les salariés et l'employeur. Je mesure la véritable « révolution » que j'engage avec cette affirmation. Je vois déjà les polémiques intenses qui vont être attisées par tous ceux qui aiment à parler des « réformes » en général mais détestent lorsque l'on précise les choses et que l'on passe à leur mise en œuvre. Je crois en la responsabilité des acteurs et à la confiance que l'on doit leur accorder. Or, notre code du travail n'est aujourd'hui marqué que du sceau de la défiance. Chacun se méfie de tous, et tous se méfient de chacun. Personne n'y trouve donc son compte. Les employeurs qui ne savent plus à quel saint se vouer et qui choisissent le plus souvent la prudence plutôt que le risque. Les employés qui n'ont jamais autant été exposés à la précarité. La France qui n'est pas mieux lotie et qui accumule le nombre de chômeurs le plus élevé des grandes nations occidentales. Je souhaite même que l'accord collectif puisse déroger à toute disposition du code du travail, à l'exception bien sûr de celles relevant de l'ordre public, c'est-à-dire qui définissent les droits fondamentaux comme la discrimination ou le harcèlement, ou issues des textes européens comme les 48 heures hebdomadaires maximum. Je crois profondément qu'il nous faut mettre en œuvre ce « saut » qualitatif de la priorité donnée à l'accord d'entreprise par rapport à l'accord de branche. Cela sera la seule façon d'être le plus proche possible des aspirations du terrain. Comment faire dialoguer employeur et salariés si l'État « kidnappe » les discussions en privilégiant systématiquement les accords de branche ou, pire, confédéraux. Car ce ne sont plus alors les intéressés qui discutent mais des professionnels du syndicalisme ou de la politique, dont le but ultime n'est pas l'intérêt de l'entreprise concernée ou des salariés mais que l'organisation qu'ils représentent remporte une victoire pour être en meilleure situation à la prochaine élection professionnelle. C'est cet « ersatz » de dialogue qui paralyse tout, fossilise notre dialogue social, vitrifie notre code du travail. Cette absence de dialogue réel conduit régulièrement à des éruptions de violence que nombre d'autres démocraties ne connaissent pas. Nos entreprises le payent cher en termes de perte de compétitivité.

Je crois en outre qu'il faudra considérablement réduire le nombre de nos branches qui s'élève à 700 contre une petite cinquantaine en Allemagne. Ce particularisme en dit long sur l'archaïsme de notre organisation syndicale. En cas de blocage, toujours possible, de la négociation à l'intérieur de l'entreprise, je souhaite qu'il soit possible de recourir au référendum à l'initiative du chef de l'entreprise. Celui-ci aura la possibilité d'organiser un nombre limité de référendum dans l'année. Son résultat s'imposera à tous, y compris au juge.

L'ensemble des modifications de notre droit du travail fera l'objet, dès 2017, d'une loi qui lèvera les principales contraintes qui pèsent sur les entreprises et pénalisent l'embauche. De ce point de vue, le débat public français doit, là encore, gagner en maturité. Le mot « social » doit arrêter d'être mis à toutes les sauces. Notre obsession sociale devrait être de donner la possibilité d'un emploi ou d'une formation qualifiante à tous et de nous assurer qu'en toutes circonstances le travail sera mieux rémunéré que l'assistanat. Notre combat doit être celui de la promotion sociale. Que chacun puisse s'élever dans l'échelle sociale, devenir propriétaire, avoir une meilleure école pour ses enfants, rêver d'un avenir où la naissance comptera infiniment moins que le mérite individuel, l'effort et le travail personnel. L'objectif social que je me fixe ne consistera pas à distribuer un argent que la France n'a pas ou n'a plus, mais à garantir à tous la possibilité d'une réussite reposant sur ses mérites personnels. Au lieu que chacun se focalise sur ce qu'a ou n'a pas le voisin, j'aimerais qu'il puisse se concentrer sur lui-même, sur son engagement, sur sa responsabilité. Pour le coup, c'est bien de davantage de confiance et de liberté que nous avons besoin.

Pour clore ce chapitre sur la compétitivité, je me dois d'évoquer l'avenir de l'Europe. Le sujet est d'une importance cruciale, car l'Europe, en laquelle je crois, devrait d'abord protéger les Européens. Elle a donc un rôle majeur à jouer en termes de compétitivité pour nos entreprises, comme pour celles de nos partenaires du continent. Or, force est de reconnaître qu'elle ne joue plus ce rôle, et même parfois qu'elle en arrive, à force de règles contre-productives, à affaiblir nos entreprises. Je crois donc à la nécessité de reconsidérer l'ensemble du droit de la concurrence européen. C'est d'abord une anomalie que d'analyser trop souvent celle-ci comme s'il existait 28 marchés distincts en Europe alors qu'avec le marché unique il n'y en a qu'un à l'aune du seul marché français. La situation d'EDF est bien différente si l'on analyse que le marché français ou l'ensemble du marché européen. Au même moment, la Chine ne s'embarrasse pas avec des analyses aussi cadenassées lorsqu'il s'agit de constituer de gigantesques conglomérats industriels destinés à partir à la conquête du monde. J'aimerais que de ce point de vue l'Europe fasse preuve de moins de naïveté. Nous avons besoin qu'en Europe nos entreprises puissent se rapprocher, fusionner, s'agrandir afin de faire face dans les meilleures conditions possibles à la concurrence du monde entier. C'est la survie économique de l'Europe qui est en jeu. Nous n'avons pas le choix, ce sera l'union ou la disparition. La Commission européenne doit le comprendre et faire tout ce qui est possible pour favoriser l'émergence de champions européens.

Je souhaite la même lucidité dans les négociations commerciales. Il ne s'agit pas ici de stigmatiser la seule Asie car le comportement des États-Unis est tout aussi stupéfiant d'agressivité lorsqu'il s'agit de défendre leurs intérêts économiques. Je ne leur en fais pas le procès. Je veux simplement que nous abandonnions nos complexes et notre timidité. Les États-Unis ont une approche bien plus déterminée de leurs intérêts et de la protection de leur marché. Un jour, c'est une fiscalité dérogatoire qui privilégie l'investissement sur le territoire américain, un autre, ce sont certains de leurs marchés publics qui sont, sous des prétextes divers, réservés à leurs entreprises. Je veux rappeler que, si nous sommes les amis et les alliés des États-Unis, nous ne sommes pas leurs vassaux ! Depuis 2012, jamais la France ne fut aussi suiviste des États-Unis et jamais elle n'a eu si peu d'influence auprès d'eux. L'Amérique ne respecte ses alliés que s'ils sont debout, pas couchés. C'est une autre leçon de l'histoire que les socialistes ont oubliée. En l'état actuel des choses, il est inacceptable de signer le futur traité euro-atlantique de libre-échange qui est complètement déséquilibré, et qui pourrait rayer de la carte tout l'élevage français et européen. Si les Américains veulent nos marchés, ils doivent ouvrir les leurs, notamment dans les services. Aucun déséquilibre n'est admissible. Je crois au libre-échange. Je crois en la liberté, mais dans des conditions loyales et équilibrées. Le responsable des négociations commerciales au nom de l'Europe ne peut plus être un simple commissaire européen mais au minimum le président du Conseil européen qui bénéficiera d'un tout autre poids politique face à ces mastodontes que sont la Chine, l'Inde ou les États-Unis.

Il faudra ne pas hésiter à défendre notre économie continentale face aux multiples concurrences déloyales. La perspective d'un changement de statut de la Chine au sein de l'OMC constitue à cet égard un enjeu considérable, pour lequel nous ne devons pas non plus faire preuve de faiblesse. Des secteurs entiers de nos économies, en Europe et en France, seraient gravement menacés, par exemple la sidérurgie, si l'on acceptait sans contrepartie d'abandonner les outils de protection contre la concurrence déloyale (dits antidumping) qui existent aujourd'hui vis-à-vis de la Chine. De la même manière, il faut être bien naïf pour s'évertuer à vouloir instaurer une taxe carbone à l'intérieur de nos frontières nationales, alors même que le véritable enjeu est de l'instaurer aux frontières de l'Europe, pour taxer les pays qui ne respectent pas les mêmes engagements environnementaux que nous. Il y a en effet un paradoxe à vouloir imposer à nos industriels des règles de protection de l'environnement et, dans le même temps, à continuer à importer des produits venant de pays qui ne respectent aucune de ces obligations, créant ainsi un déséquilibre commercial aussi notable que dommageable. Je souhaite que désormais ces produits soient taxés à leur entrée sur le territoire européen, afin que soit rétablie une concurrence équitable. Nous avons voulu l'Europe pour être plus forts ensemble, pas pour être plus faibles et plus exposés. L'Europe est le continent le plus ouvert du monde. Nous n'avons aucun complexe à nourrir de ce point de vue. Sachons enfin nous inspirer du dynamisme, de la force et de l'agressivité des autres. Nous n'en serons que plus respectés.

Ainsi avec moins d'impôts, une fiscalité revenue dans la moyenne européenne, des normes considérablement allégées, une politique ambitieuse pour le logement, un droit social assoupli et tenant compte des aléas de l'activité économique, des rapports avec l'administration fondés sur la confiance, nous redeviendrons beaucoup plus rapidement que nous l'imaginions compétitifs. Cette compétitivité retrouvée nous permettra de gagner les précieux points de croissance qui nous font aujourd'hui si cruellement défaut. Je crois de toutes mes forces qu'il n'y a pas de fatalité, que c'est possible. Cette nouvelle politique économique adoptée dans tous ses compartiments, dès l'été 2017, permettra à l'économie française de saisir toutes les opportunités de croissance dès le début de 2018. Nous irons vite, car les citoyens devenus si sceptiques à propos de toutes les promesses l'exigent, et la souffrance de tous ces Français exclus de l'emploi ne peut plus attendre.

Il y a enfin une nouvelle raison à la nécessité d'une action forte et rapide, c'est le Brexit. En effet, ce qu'il faut bien appeler une catastrophe vue du Royaume-Uni peut, si nous savons être réactifs, constituer une formidable opportunité pour la France en général et pour la place de Paris en particulier.

En effet, la sortie du Royaume-Uni de l'Union européenne et donc du grand marché intérieur, peut avoir de lourdes conséquences pour les entreprises installées outre-Manche. Les Britanniques ne pourront pas avoir un pied dedans, et un pied dehors. Avoir les avantages sans les contraintes. L'Europe ne peut pas et surtout ne doit pas l'accepter car cela reviendrait à installer à nos portes un concurrent redoutable, capable de proposer toutes les opportunités sans s'assujettir aux mêmes règles. Ce dumping serait inacceptable. Pour rester dans le marché intérieur européen, nombre d'entreprises vont donc devoir choisir une nouvelle implantation. Là réside la chance historique pour Paris.

La France peut en effet espérer profiter du Brexit. Mais rien ne sera spontané. L'ampleur des changements à mettre en œuvre ne se limitera pas à un geste fiscal pour les impatriés, c'est-à-dire ceux qui acceptent de quitter Londres pour Paris ou une autre ville française, même s'il est indispensable. Les décisions de localisation des activités économiques et des investissements se font à partir de nombreux critères et d'une cohérence d'ensemble : fiscalité, droit du travail, rapports avec l'administration, capacité à innover, qualité des transports publics, tout compte…

En fait, Londres avait pris une grande avance sur Paris. Mais la lucidité oblige aussi à dire qu'il n'y a pas que Londres. Amsterdam a, en quelques années, réussi à attirer un nombre très important de sièges de grands groupes, y compris français, et même dans lesquels l'État français a une participation importante. Barcelone est en train de s'imposer comme un lieu incontournable des start-up. Francfort est une ville majeure de la finance européenne.

Toutes ces villes ont su mettre en avant un dynamisme incroyable, un climat favorable aux entreprises, et une simplicité dans les relations avec l'administration. Le Brexit peut néanmoins redistribuer les cartes. Encore faudra-t-il que le nouveau gouvernement accompagne ce mouvement en mettant en œuvre des réformes très fortes, susceptibles de modifier l'image de la France à l'étranger. On se demande d'ailleurs pour quelle raison, deux mois après le vote britannique, le gouvernement n'a pris aucune initiative concrète en la matière... En complément de toutes les réformes que j'ai indiquées, il sera indispensable à mes yeux d'aller plus loin dans la mise en place d'un écosystème favorable aux start-up. En quelques années, les Français se sont imposés comme des acteurs incontournables sur la scène numérique mondiale. Aux États-Unis notamment, on ne compte plus les entreprises fondées par des Français, financées par des investisseurs mondiaux et leaders dans leur domaine. Les ingénieurs français sont unanimement reconnus par les chefs d'entreprise américains pour la qualité de leur formation. Et pourtant, trop d'entrepreneurs s'expatrient, faute de trouver, en France, les financements dont ils ont besoin. C'est la raison pour laquelle je souhaite notamment que nous reprenions le système anglais qui autorise la défiscalisation de 50 % de l'argent investi dans une start-up par les *business angels*. Cela a beaucoup compté dans l'attractivité anglaise. Tous les jeunes entrepreneurs qui croyaient en leur projet étaient assurés de pouvoir trouver à Londres les moyens financiers dont ils avaient besoin pour le démarrer. Quant aux financiers eux-mêmes, la défiscalisation à 50 % revenait à diviser le risque par deux : tout le monde était gagnant.

Qu'est-ce qui pourrait nous empêcher de le faire ? Rien, mis à part les tenants de la pensée unique qui vont à nouveau entamer l'antienne bien connue du cadeau aux riches, à moins que cela ne soit le cadeau aux patrons ou bien encore la fascination pour le modèle anglo-saxon... Je suis bien décidé à m'affranchir plus que jamais de toutes ces caricatures qui nous ont fait tant de mal et perdre tant de temps. Je veux tout faire pour que la France redevienne compétitive, attractive, fière d'être elle-même. Nous retrouverons confiance en nous quand le regard des autres changera sur nous. Si, à nouveau, on s'inspire à l'étranger des initiatives françaises plutôt que de s'en moquer, comme avec la grotesque taxe à 75 %. Si la jeunesse imaginative, créative, dynamique de la planète retrouve l'envie de venir travailler, étudier, chercher dans notre pays. Si la parole de la France porte, en s'appuyant sur des résultats économiques enfin à la hauteur de ce qu'a toujours été le génie français. Si nos entrepreneurs, nos industriels, nos professions libérales, nos artisans, nos commerçants espèrent qu'un avenir est possible pour eux, qu'avoir un patrimoine n'est pas un péché, que vouloir gagner davantage pour sa famille n'est pas anormal, qu'après toutes ces années de dur labeur il leur restera quelque chose parce que les impôts n'auront pas tout pris. Si les salariés les plus modestes croient en la possibilité de s'élever socialement parce que tout n'est pas joué à la naissance et qu'avec les heures supplémentaires et les créations d'emploi le spectre de la précarité s'éloignera. Si les familles et les classes moyennes constatent que le matraquage fiscal est terminé et que le risque du déclassement s'éloigne, alors c'en sera bien fini de cette dépression française qui nous ressemble si peu. Nous aurons à partir de ce moment-là définitivement tourné la page du nivellement, de l'égalitarisme, de la jalousie. Enfin nous pourrons écrire les nouvelles pages glorieuses de l'histoire de France. Un pays qui n'a plus peur de la compétition. Un pays réconcilié avec lui-même. Un pays qui ne regardera pas uniquement son passé avec nostalgie mais le présent avec fierté. En cela le combat de la compétitivité française est bien celui de la renaissance française ou de sa disparition. Je crois de toutes mes forces à cette renaissance c'est bien pour cela que je suis candidat avec une telle énergie !

Je ne peux pas, après avoir évoqué la part que pourrait prendre l'Europe dans la compétitivité retrouvée de nos entreprises, éviter de prendre clairement position sur l'avenir de l'Union. Il y a bien deux lignes rouges dont je n'accepterai jamais qu'elles puissent être franchies. La première concerne l'appartenance de la France au projet politique de l'Union européenne. Il s'agit d'un choix stratégique majeur au moment où la civilisation européenne est menacée, comme jamais dans son histoire, de marginalisation, du fait du déséquilibre démographique croissant avec les grands continents du monde que sont désormais l'Asie et l'Afrique. Je rappelle les chiffres. Nous sommes 500 millions d'Européens sur les 7 milliards d'habitants de la planète qui deviendront 11 milliards en 2100 ! Ce n'est certainement pas le moment pour les Européens de se séparer, de se diviser, de s'affaiblir. Nous appartenons au continent européen. La France a le devoir d'assumer un leadership, de prendre des initiatives, de montrer la voie. Il serait inconcevable à mes yeux que, sous quelques prétextes que ce soit, nous nous retirions du projet européen. La deuxième ligne rouge concerne nos relations avec nos voisins allemands. Certains peuvent être légitimement en désaccord, ou même agacés par la politique conduite par Angela Merkel mais jamais nous ne devons briser la nécessité du partenariat franco-allemand. La réconciliation entre nos deux nations fut si difficile à bâtir. Elle est demeurée si précieuse, et en même temps si fragile, que rien ne doit venir envenimer les rapports que nous entretenons avec notre grand voisin. Souvenons-nous qu'entre Louis XIV et 1945 nos deux nations se sont affrontées tous les trente ans. La paix que nous avons reçue en héritage est un véritable miracle qui nous crée des devoirs, et notamment celui de ne rien faire qui puisse dégrader l'amitié franco-allemande. À cela s'ajoute une réalité dont j'ai eu moi-même un certain mal à me convaincre dans le passé, c'est qu'il n'y a pas d'alternative en Europe au couple franco-allemand. Quand ces deux pays prennent une initiative commune, cela agace tout le monde mais quand ils ne le font pas, les mêmes sont profondément inquiets. L'Europe a besoin d'une vision et d'une direction, et elles ne peuvent être données que par la France et l'Allemagne conjuguant leurs efforts pour entraîner tous les autres. Voici pourquoi dès le lendemain du second tour de l'élection présidentielle, je veux proposer à la chancelière la refondation tellement urgente de l'Union européenne. Pourquoi employer un mot si fort de « refondation » ? Parce que j'ai la conviction que nous ne pouvons pas continuer à faire comme si rien ne s'était passé sur notre continent. Or, d'élection en élection, de référendum en référendum, chaque fois qu'ils sont consultés, les peuples manifestent avec une rare constance leurs désaccords et leur désamour avec l'Europe qui leur est proposée. Je ne suis pas de l'avis de ceux qui incriminent le principe même du référendum. La ficelle est trop grosse. Ce n'est pas parce que le peuple se défie, qu'il faut en tirer comme conclusion qu'il ne faut plus le consulter. Ma conviction, c'est que l'Europe d'aujourd'hui n'est plus adaptée aux défis qui sont les nôtres. Elle est trop complexe, naïve, trop souvent sans volonté, ne proposant qu'insuffisamment les protections dont les États membres auraient bien besoin.

Sortir de l'Europe et de l'euro serait une folie. Ne rien changer en serait une autre. L'heure est venue de réinventer l'Europe, donc de la refonder. L'Europe doit entrer dans un nouvel âge. Le premier vice de construction, et le principal à mes yeux, est qu'elle fut conçue comme l'Europe des experts, pas comme celle des peuples. Il y avait sans doute, chez les pères fondateurs, l'idée que le peuple était ou bien conservateur, ou bien révolutionnaire, mais en tout cas peu enclin à la réforme. Tout le système institutionnel européen procède de cette stratégie. Le véritable exécutif de l'Europe n'est pas élu. Ce qui était anecdotique au début est, au fil des années, devenu un problème immense à mesure que les compétences de l'Union s'étendaient. Cette Europe technocratique n'est plus supportable. Elle doit devenir démocratique.

Le deuxième vice de construction est qu'elle fut conçue comme une Europe des règles juridiques et pas suffisamment comme un projet politique. Elle a donc avancé masquée par le charbon, par l'acier, par le libre-échange, par la concurrence... De là vient la prolifération des réglementations. Elle est devenue une machine normative qui échappe à ses gouvernants, à ses peuples, et même à ses propres fonctionnaires. L'Union déploie une énergie considérable pour régenter la vie quotidienne des citoyens, alors qu'elle devrait devenir l'Europe des grands projets stratégiques.

Enfin, elle a été pensée comme devant conduire à inventer un homme nouveau : l'homme européen. Il y a évidemment une civilisation européenne. Elle est grecque, elle est romaine, elle est chrétienne, elle est née de l'Antiquité, du Saint-Empire, de la Renaissance, des Lumières... Mais sur le vieux continent se sont déployés des États-nations avec leur histoire et leurs identités propres. Or il y a dans « l'idéologie » européenne, née du louable souci d'ensevelir définitivement les guerres du passé, le projet insensé d'effacer ces histoires et ces identités particulières. Pour conjurer le risque du nationalisme, l'idée était d'enterrer les nations et de se méfier des frontières ! Ainsi l'Europe s'est développée à contre-courant des attentes des citoyens en devenant petit à petit un espace juridico-technique ouvert à tout vent et vide de sens et de légitimité. À l'expérience des très nombreuses négociations internationales auxquelles j'ai activement participé, parfois dans des situations de crise extrême qu'on disait sans issue, j'affirme qu'il est possible de redresser les choses, de stopper cette dérive et de redonner un sens au projet européen. Cela passera par la volonté politique, par l'ambition du projet et par la rapidité de l'exécution. Car, si on veut rester cohérent, on ne peut pas dire : la crise de l'Europe est profonde et historique – et imaginer une réponse autre que structurelle. Or, si l'on veut changer les règles en Europe, il n'y a pas d'autres moyens que de proposer un nouveau traité. Dans le cas contraire, il ne s'agirait que de changements à la marge, donc en rien à la hauteur de la situation. On m'opposera qu'un traité nécessitera l'accord de tous et que cela prendra beaucoup de temps. Je ne crois pas cet argument pertinent car l'urgence politique peut nous permettre d'aller très vite pour promouvoir l'initiative franco-allemande que j'appelle de mes vœux.

J'imagine ainsi un traité en quatre points rédigé brièvement et présentant des choix politiques forts.

Le premier devra mettre un terme à la frénésie de la technocratie européenne de vouloir s'occuper de tout. L'Europe doit regrouper ses compétences autour d'une toute petite dizaine de priorités stratégiques comme l'agriculture, la concurrence, la politique commerciale, la recherche, l'industrie, l'énergie... Tout le reste doit être rendu à la compétence des États membres. Il s'agit de donner enfin une application concrète au principe de subsidiarité. L'Europe est omnipotente là où elle ne devrait pas l'être, et elle est faible là où l'on aurait tant besoin de sa puissance.

Le deuxième point devra parfaire l'organisation de la zone euro, en la dotant d'une présidence stable et d'un secrétaire général qui fera fonction de directeur du Trésor. Ces deux postes doivent en priorité revenir à un Français et à un Allemand. Je rappelle qu'à eux seuls, ces deux pays représentent la moitié du PIB de la zone euro. Il est donc nécessaire autant que naturel qu'ils en assurent la direction. En outre, le mécanisme de solidarité monétaire doit être transformé en Fonds monétaire européen. Enfin, je souhaite clairement que le FMI ne s'occupe plus des affaires internes à l'Europe, surtout lorsque l'on connaît le poids spécifique des Américains au sein de cette instance. Ici encore, il s'agira de mettre la réalité en accord avec nos principes. Si nous croyons en une Europe puissante et indépendante, le FMI n'a rien à y faire.

Le troisième point concernera le fonctionnement de la Commission européenne. Il faut urgemment clarifier les compétences de cet organisme hybride qui ne peut plus continuer à cumuler les caractéristiques d'un exécutif, d'un législatif et même du judiciaire. La Commission devra désormais se contenter de mettre en œuvre les décisions du Conseil européen et s'assurer du bon fonctionnement du marché intérieur. En revanche, il devra être mis un terme à la folle profusion des directives. Désormais, les actes d'exécution et les actes d'initiative ne pourront plus entrer en vigueur sans faire l'objet au préalable d'un accord du Parlement européen et des Parlements nationaux. Ainsi, la démocratie reviendra irriguer le fonctionnement de l'Europe au quotidien.

Le quatrième point me semble indispensable à la clarification du débat européen car il concerne les perspectives d'élargissement. J'ai la conviction qu'il faut stopper tout élargissement tant que les nouvelles institutions européennes n'auront pas été mises en place. Ne recommençons pas la très grave erreur commise dans les années 1990 avec l'élargissement vers les pays de l'Est sans qu'au préalable l'organisation de l'Europe ait fait l'objet de la moindre adaptation. Nous en payons le prix le plus fort aujourd'hui. Un signal clair doit donc être adressé : il n'y aura plus aucun élargissement tant que la refondation européenne n'aura pas été achevée. Dois-je préciser que, dans mon esprit, l'enjeu de la Turquie ne se réglera ni aujourd'hui ni demain en Europe. Ce grand pays, cette grande civilisation, appartient au continent asiatique et n'a donc pas sa place dans l'Union. La Turquie est un pont entre l'Europe et l'Asie. Couper un pont d'une de ses rives, c'est lui faire perdre son identité et son utilité. L'adhésion de la Turquie à l'Union ne serait profitable ni à l'Union ni aux Turcs. Cela ne signifie nullement que nous n'avons pas besoin de dialoguer avec eux. C'est pourquoi, je proposerai la création d'un nouveau cercle de discussion international qui aurait trois membres fondateurs : l'Europe, la Russie et la Turquie. On pourrait y évoquer au plus haut niveau les dossiers politiques, la problématique de la sécurité et les intérêts économiques. Ce nouvel ensemble d'un peu moins de 800 millions d'habitants aurait une grande utilité pour favoriser la coopération et la stabilité de cet immense territoire.

J'entends déjà les commentaires effrayés de tous ceux qui me trouveront trop ambitieux, et qui imagineront que les changements que je propose sont hors de portée tant ils sortent de la pensée unique en matière de relations internationales, où au nom de la stabilité l'on défend toujours l'immobilisme. Je crois tout le contraire car c'est la vision et l'ambition des projets proposés qui créent la dynamique propre à leur adoption. Dans l'histoire internationale, ce sont bien les initiatives qui apparaissaient les plus démesurées qui ont fini par triompher : la réconciliation franco-allemande, la chute du Mur de Berlin, l'unification allemande et l'Union européenne. La liste est longue de tous ces paris jugés impossibles et qui ont fini par s'imposer. L'Europe et la France manquent cruellement de ces grandes ambitions qui n'apparaissent hors de portée que pour les velléitaires. Ici aussi l'immobilisme n'est pas une alternative. Il nous faut bouger, changer, s'adapter, imaginer, créer les conditions de l'émergence d'une nouvelle Europe. C'est le moment. C'est maintenant ou jamais. Cela peut aller très vite car chacun sent bien que les choses ne peuvent plus continuer comme avant. Cette ambition n'est pas un rêve. Elle est à notre portée. Bien sûr que nous rencontrerons des réticences, des obstacles, des difficultés

à convaincre. Mais tout cela ne résistera pas durablement car les forces du changement seront plus fortes.
Chacun sent bien qu'il y a urgence à agir. Pour ma
part, j'en suis convaincu, je m'y suis préparé et surtout j'y suis décidé.

IV

Le défi de l'autorité

L'autorité ! Le mot claque. Il est de ceux qui déclenchent les polémiques les plus immédiates et les plus passionnées. Dans la foulée de l'idéologie dominante de 1968, il était même devenu illégitime. Faire preuve d'autorité était synonyme de brutalité, de refus des règles démocratiques, de dérive fasciste ou de comportements dictatoriaux... On pourrait illustrer à l'infini les qualificatifs caricaturaux accolés régulièrement à ce mot. Petit à petit, une partie de la société se laissa convaincre que la pagaille, le laisser-aller et le laisser-faire, l'autogestion, les forums de discussion où chacun pouvait exprimer son opinion sans qu'aucune conclusion en sorte jamais étaient préférables à la discipline, à l'organisation, à la hiérarchie, à la nécessité vitale pour toute collectivité d'avoir à sa tête un animateur, un décideur, un dirigeant capable de proposer une vision, d'entraîner, de convaincre. Par la suite furent contestés avec la même énergie les notes, les classements, les récompenses individualisées, les bourses au mérite. L'Éducation nationale fut la première à être atteinte par la contestation généralisée de toute forme d'autorité. Cette évolution destructrice fit des dégâts considérables dans tous les compartiments de la société, y compris dans les familles. Éduquer n'a jamais été facile mais devient réellement impossible quand même les parents se trouvent objets de contestations systématiques et de principe. On a ainsi vu fleurir de nouveaux concepts comme « il est interdit d'interdire », jusqu'à la ministre de l'Éducation nationale qui justifia la suppression des bourses au mérite, que j'avais créées, par le souci étrange de ne pas complexer les élèves sans mérite... On rirait aux éclats si tout cela n'était pas si grave. Car cette contestation généralisée de l'autorité a conduit à des dérives infiniment plus préoccupantes.

Ainsi le débat médiatique met trop souvent sur le même plan le policier qui interpelle un délinquant et ce dernier. Les forces de l'ordre doivent continuellement se justifier de ne pas avoir commis un délit de faciès, de ne pas avoir manqué de respect ou de ne pas avoir abusé de leur force, comme s'il existait pour eux une présomption de culpabilité. Loin de moi l'idée d'autoriser policiers et gendarmes à outrepasser leurs droits. Ils ont des obligations que, ministre de l'Intérieur durant quatre années, j'ai toujours fait respecter avec une grande rigueur, mais, inversement, le présupposé de leurs « prétendues dérives » est insupportable surtout lorsque l'on sait que chaque année 5 % d'entre eux sont blessés en mission ! Il s'est même créé un collectif ayant pignon sur rue, organisant des manifestations et se dénommant « Urgence, notre police assassine ! ». Cela n'a guère gêné le gouvernement qui aujourd'hui encore n'a pas jugé utile de déposer plainte contre ce qui n'est pourtant rien de moins qu'une insulte à l'endroit des forces de l'ordre républicain. Chaque jour se multiplient les exemples de perte complète de l'autorité de l'État dans notre pays.

Chacun se demande où cela finira par nous conduire. Jusqu'où le pays va-t-il sombrer ? Il y a comme un sentiment de chaos où tout finalement semble possible mais pour le pire, jamais pour le meilleur. Une fois, ce sont les membres de Nuit debout qui occupent un village de tentes place de la République au vu et au su de tous. De quoi vivent tous ces gens qui peuvent ainsi passer toutes les nuits sur une grande place parisienne ? En quoi peuvent-ils comprendre et représenter les aspirations du peuple qui travaille ? Une autre fois, ce sont les zadistes, dont une partie vient de l'extrême gauche étrangère, qui occupent depuis trop longtemps des dizaines d'hectares du département de la Loire-Atlantique, créant ainsi les conditions d'un véritable no man's land au cœur de la République française. Personne n'y trouve à redire au sommet de l'État. Peu importe les cent soixante décisions de justice qui ont validé les procédures de construction du nouvel aéroport ou le référendum qui a donné une majorité pour la construction de cet équipement public majeur pour le développement économique et touristique de la région... L'exemple que donne ce gigantesque campement aux citoyens qui, eux, sont verbalisés à la moindre infraction est déplorable. Sans oublier l'invraisemblable blocage de l'autoroute du Nord par des gens du voyage mécontents de ne pas avoir obtenu une permission de sortie d'un des leurs détenu en prison, ou la trop fameuse Leonarda dont chacun se souvient qu'elle fit reculer le président de la République lui-même, qui céda face aux injonctions de cette jeune Bulgare pourtant en situation irrégulière.

Je pourrais multiplier les exemples, tant chaque jour les Français assistent sidérés à un nouvel exemple du recul de l'autorité de l'État. Comment pourraient-ils encore croire celle-ci lorsque, dans des dizaines de quartiers, les forces de secours et les médecins sont agressés, les commerçants pris pour cible et victimes d'exactions permanentes ? Lorsque la délinquance se développe autant dans les zones rurales ? Comment croire à l'autorité de l'État quand, en plein état d'urgence, on peut envahir des théâtres, casser les vitrines des commerces et les vitres d'un hôpital pour enfants en plein cœur de Paris ? Comment croire à l'autorité de l'État quand des personnes condamnées à des peines de prison ne les accomplissent pas ? Quand 100 000 peines prononcées sont en attente d'exécution, chaque année ? Quand la condamnation intervient des mois après la commission du délit ? Quand 18 000 policiers et gendarmes sont blessés chaque année dans l'exercice de leur mission ? Quand le personnel hospitalier est menacé dans les services d'urgence ?

Il est vrai que l'exemple vient d'en haut puisque, même au sein du gouvernement, le Premier ministre comme le Président se révèlent incapables de faire régner un minimum d'ordre dans une équipe gouvernementale où le ministre de l'Économie passe le plus clair de son temps à critiquer la politique économique qu'il a pourtant la charge de mettre en œuvre. Je dois bien reconnaître que même la droite fut touchée par cette perte d'autorité. Je le constatai avec incrédulité en reprenant la tête de l'UMP à la fin de 2014. Après deux années et demie d'absence, je vis la perte de tout repère et les ravages de l'absence de la moindre autorité. L'UMP était alors au bord de l'implosion. Tout faisait alors l'objet de contestations plus ou moins violentes. Plus personne ne se sentait tenu par l'intérêt collectif ou la solidarité. Aucune autorité n'était plus légitime. Chacun pouvait prendre la parole à tort et à travers. Il suffisait d'un micro pour exister et Dieu sait que ceux-ci ne manquaient pas. C'était devenu : « Je parle donc j'existe ! » Nous avons été au bord de l'explosion. La reprise en main fut longue, ingrate, exigeante. Il a fallu patiemment raccommoder, reconstruire, rassurer, rassembler. Les mêmes qui, deux années auparavant, se pressaient avec entrain sur les mêmes tribunes ne pouvaient plus articuler le moindre point commun. Je ne souhaite pas adopter les mêmes comportements. D'abord si certains m'ont parfois déçu, je n'ai à m'en prendre qu'à moi-même puisque c'est moi qui les ai choisis ! Ensuite parce qu'il y a chez notre famille politique trop d'attente d'une alternance franche pour que je me laisse aller à la moindre critique interne à l'opposition ou à la plus petite division. Ce serait irrespectueux et indigne. Je sais que tout au long de ces derniers mois j'ai parfois étonné mes propres amis en refusant obstinément d'entrer dans la bagarre interne ou de régler des comptes. Mais je n'avais et je n'ai toujours nulle intention de me livrer à un tel spectacle. Les séquelles de l'affrontement Fillon-Copé sont encore tellement présentes dans l'esprit de chacun. Il fallait savoir résister à la tentation de l'affrontement. Sans doute plus jeune y aurais-je succombé ! Qu'au moins l'âge et l'expérience servent à cela, non seulement à être apaisé, mais à savoir apaiser les autres. Somme toute, après bien des contestations, des tensions, des épisodes multiples nous y sommes collectivement arrivés. Les Républicains sont aujourd'hui la première force politique de France. Nul ne le conteste. J'ai dû prendre des décisions difficiles qui m'ont parfois coûté. Mais c'était bien le premier devoir du chef de l'opposition. Comment, en effet, être crédible si on défend l'autorité pour les autres sans être capable de la faire régner dans sa propre famille politique ? Comment stigmatiser le pouvoir pour sa faiblesse si soi-même on n'est pas capable de faire régner l'ordre et la concorde ? Comment rassembler son pays si on échoue à le faire pour son propre parti ? Je ne regrette pas tous ces efforts. Car c'est bien ce qui nous donne aujourd'hui les meilleures chances d'espérer en la victoire. Et j'ai bien l'intention tout au long de cette campagne pour les primaires de ne jamais franchir la ligne jaune de la division. Il y a bien assez à faire pour l'avenir. Il faut savoir tourner la page du passé.

Jamais je n'ai vu la France dans une telle attente de retour à une autorité forte, juste, légitime. La perception d'un laisser-aller inacceptable est profondément ancrée chez nos concitoyens. Et ce d'autant plus que, dans leur quotidien, ils n'ont jamais eu à respecter autant de règles, de normes, d'interdictions, et sont sanctionnés au moindre dépassement. Les Français sont désormais persuadés que notre système fonctionne aujourd'hui avec un « deux poids deux mesures » intolérable. Aucune faiblesse ne nous sera pardonnée. Aucun prétexte ne pourra justifier notre échec. Le retour de l'autorité dans la France de 2017 sera d'abord une question de volonté. On le veut ou on ne le veut pas. Si je suis élu, je suis bien décidé à faire du rétablissement de l'autorité de l'État une priorité incontournable du prochain quinquennat.

Si cette perte d'autorité a des racines anciennes, force est de constater que les décisions prises depuis 2012 lui ont donné « une seconde jeunesse », accélérant sa dynamique. La suppression des peines planchers, que j'avais créées pour lutter contre la récidive, en a constitué l'exemple le plus symbolique, tant elle a été présentée comme l'annonce d'une nouvelle ère pénale. Mais à cette suppression s'est ajoutée la longue liste des décisions ayant conduit à un désarmement pénal sans précédent de la justice française. Le programme de construction de plus de 20 000 places de prisons supplémentaires, voté avant l'élection présidentielle de 2012, a été annulé, le gouvernement en place considérant que la peine de prison n'était pas la réponse pertinente face à la délinquance. Au contraire, l'alternative à la prison devait devenir la norme. En créant en 2014 la « contrainte pénale » pour tout délit passible de cinq années de prison au maximum, et même jusqu'à dix ans à compter du 1er janvier 2017, la ministre de la Justice alors en place a donc substitué à cette peine de prison des obligations de soin, de suivi, de formation, de stage… L'aménagement de la peine prononcée est donc devenu un principe cardinal.

Poussant l'idéologie à l'extrême, Christiane Taubira est allée jusqu'à vouloir abroger les tribunaux correctionnels pour mineurs, préférant faire du juge pour enfant le pivot du système. Avec deux différences de taille : une réponse d'abord éducative, et non pas répressive, et une définition du juge pour enfant qui étend sa compétence jusqu'à la vingt et unième année du délinquant…

À vouloir faire de la prison non pas la réponse, mais l'exception, cette politique a considérablement renforcé le sentiment d'impunité des délinquants et le désarroi des forces de l'ordre, qui constatent chaque jour le fossé entre les efforts dont ils font preuve quotidiennement pour appréhender les délinquants et la faiblesse de la réponse que la société y apporte. Fait historique en France, un haut gradé de la gendarmerie nationale l'a lui-même dénoncé, chiffres à l'appui, en prenant l'exemple du département des Bouches-du-Rhône. Auditionné par une commission du Parlement, le général Soubelet fit le constat suivant, en évoquant les cambriolages : « Quand vous lâchez 65 % de ceux qui se sont rendus coupables d'un certain nombre d'exactions, comment voulez-vous que les chiffres baissent ? C'est tout à fait impossible. Vous pouvez multiplier par deux les effectifs de gendarmes dans les Bouches-du-Rhône, cela ne changerait rien. »

C'est peu de dire qu'il nous faudra tout remettre en cause.

Le premier domaine d'application de cette nouvelle politique visant à rétablir l'autorité de l'État concernera la justice. L'application des peines et l'exécution des décisions de justice sont des sujets continus d'exaspération pour les Français. Une peine prononcée doit être une peine exécutée. Faire preuve de compréhension pour une première condamnation peut être justifié. L'erreur humaine est toujours possible. La société doit sanctionner le premier délit et dans le même temps faire preuve de discernement. La réponse inverse doit s'appliquer dès que le délinquant est un habitué des prétoires. Dans ce cas, aucune clémence n'est acceptable. Aucune faiblesse ne sera tolérée. Qu'un délinquant condamné de multiples fois n'exécute pas sa peine est tout simplement incompréhensible.

Par ailleurs la peine doit faire l'objet d'une application immédiate spécialement pour les jeunes délinquants. Plus le délai est court entre le prononcé de la peine et son exécution, plus l'aspect pédagogique de celle-ci s'impose.

Il va de soi que dans le même élan ne sera plus toléré le moindre débordement sur la voie publique. Ainsi toute occupation illicite de place sera immédiatement empêchée, et les zadistes seront renvoyés chez eux.

Quant aux syndicalistes, ils pourront manifester, protester, réclamer. Mais en cas de dégâts sur la voie publique à la suite d'une manifestation à laquelle ils auraient appelé, ils devront régler les dommages sur leurs propres deniers et pas sur ceux du contribuable.

Cela s'appelle « la responsabilité civile », et elle devra être engagée par l'État chaque fois que des rassemblements dégénéreront avec la complicité active ou passive des organisateurs. Dans une démocratie digne de ce nom, chacun doit assumer ses responsabilités. Je n'ai jamais été favorable aux interdictions de manifester surtout pour des organisations dont c'est en quelque sorte « la vocation ». D'ailleurs, comment avec les mêmes organisateurs autoriser celle-ci et interdire celle-là ? Mais il y a fort à parier que, avec la mise en cause systématique de la responsabilité de ceux qui appellent à un mouvement de protestation, les débordements seront beaucoup plus rares, et les organisateurs davantage motivés pour que tout se passe bien... C'est trop facile d'appeler à des rassemblements qui dégénèrent puis de s'en laver les mains comme si on n'y était pour rien.

Je veux souligner qu'en matière de justice nous devrons faire face à trois priorités qui feront l'objet de décisions importantes et spécifiques à propos des multirécidivistes, des mineurs et de l'association des Français aux décisions de justice.

La question des multirécidivistes est en effet centrale, les spécialistes du droit pénal ont souligné à de multiples reprises que 50 % des actes de délinquance sont le fait d'une petite minorité de personnes, souvent parfaitement identifiées. En fait, ce sont toujours les mêmes qui rendent impossible la vie d'un quartier. Les Français ne supportent plus cette situation. Elle doit cesser au plus vite car elle détruit la force du lien qu'ils devraient avoir dans la République. Quand la société a condamné le même individu dix fois, quinze fois, vingt fois, sans que ce dernier comprenne qu'il doit arrêter sa dérive dans la délinquance, alors la sanction doit être forte pour devenir réellement dissuasive. Dans le cas contraire, c'est la République qui recule. Elle l'a trop fait. Elle a trop subi. Avec les peines planchers, nous avions commencé à répondre à cette attente, mais nous devrons aller plus loin, car la situation, loin de s'être améliorée, s'est encore dégradée. Je proposerai donc de retenir une règle simple, compréhensible et pédagogique. Après trois condamnations pour des crimes et des délits, le quantum de la peine sera automatiquement majoré de 25 % pour la quatrième. Après cinq condamnations de 50 %. Et après dix condamnations de 100 %. À partir d'un certain niveau de délinquance, la sanction ne doit plus seulement tenir compte du délit qui a été commis mais aussi de l'accumulation des faits antérieurs. Les réductions de peine automatique seront exclues, tout comme les aménagements quasi systématiques en cours d'exécution de la peine. Les multirécidivistes seront ainsi prévenus. Les risques qu'ils encourront seront exponentiels. Le choix sera simple pour eux : soit revenir dans le droit chemin, soit encourir une très lourde peine de prison. Je connais l'argument de l'individualisation de la punition que l'on va m'objecter. Mais précisément, le système que je propose ne la remet pas en cause, puisque tout sera fondé sur le parcours et la dangerosité démontrée de la personne jugée, sauf à considérer, comme Mme Taubira en a donné si souvent le sentiment, que la première victime est en fait le délinquant ! J'ai toujours refusé ce discours qui ne correspond à aucune réalité.

La problématique des mineurs est tout aussi sensible et recoupe d'ailleurs pour partie celle des multirécidivistes. Nous vivons aujourd'hui sous le régime de l'ordonnance de 1945. Il s'agit du texte fondateur en matière de délinquance des mineurs. Le problème, c'est que les mineurs d'aujourd'hui, à 16 ou 17 ans, n'ont plus rien à voir avec ce qu'ils étaient au lendemain de la guerre. Les différences sont multiples, tant physiques que morales. La grille des sanctions et la pédagogie de la peine doivent s'adapter à cette nouvelle réalité. Continuer à parler d'enfants ou de « gamins » pour des jeunes qui dépassent souvent en taille et en corpulence celles des adultes de l'après-guerre n'a plus de sens. Ici encore le gouvernement a sévi en supprimant les tribunaux correctionnels pour mineurs dont j'avais voulu la création, leur préférant le retour aux tribunaux pour enfants. Les mots ont un sens. Il ne s'agit ni plus ni moins que d'une démission face à une réalité devenue infiniment préoccupante, celle de l'augmentation du nombre et de la violence des mineurs délinquants. Une fois encore, il va nous falloir donner un coup d'arrêt qui ne souffrira aucune faiblesse car la situation est en train de devenir absolument hors de contrôle. La première décision à prendre sera d'abaisser la majorité pénale à 16 ans et non plus à 18 ans comme aujourd'hui. Concrètement, il n'y aura donc plus d'excuse de minorité pour le délinquant de 16 ou 17 ans qui commettra un délit ou un crime. Il sera jugé pour ses actes, comme un adulte. Cela aura comme autre conséquence d'éviter que, dans les quartiers, les délinquants chevronnés continuent à utiliser les mineurs de cet âge pour profiter de la différence de traitement avec la justice des adultes et abuser de l'excuse de minorité.

Je souhaite ensuite que soient créés des établissements pénitentiaires spécifiques pour les mineurs. Il faut en finir avec les quartiers pour jeunes à l'intérieur des maisons d'arrêt et des centres de détention pour adultes. Les mineurs doivent être protégés de cette promiscuité dont on mesure chaque jour les risques en termes d'influence. Par ailleurs, et cela sera sans doute le plus important, l'État devra disposer d'une palette variée et diversifiée de réponses à cette forme particulière de délinquance. Cela doit commencer dès le collège et le lycée où tant de proviseurs et de principaux ne savent plus quoi faire avec quelques-uns de leurs élèves parfois très jeunes qui « pourrissent » littéralement la vie de leurs établissements. En désespoir de cause, la seule solution qui leur reste consiste à échanger les perturbateurs de leurs établissements contre ceux venant d'ailleurs. Le résultat est connu d'avance. Ce n'est plus le même qui gêne mais la gêne reste identique. Quant à les exclure, le cadeau serait trop beau. Ils obtiendraient aussi une autorisation « officielle » de sécher les cours. La réponse pénale n'est pas davantage adaptée pour ces perturbateurs, sauf évidemment s'ils commettent parallèlement des délits.

Dans ces conditions, je propose la création, dans chacune de nos académies, d'un internat avec un encadrement pédagogique renforcé et peu d'élèves, où seraient envoyés ces jeunes tombés dans la violence et inadaptés à un environnement scolaire normal. Les intéressés y passeraient plusieurs mois, pour les rescolariser, leur apprendre l'indispensable discipline et leur éviter surtout de dériver vers une délinquance plus grave. Et comme il s'agit de mineurs, l'accord de leurs parents sera sollicité. Dans le cas où ceux-ci refuseraient, leurs allocations sociales et familiales seraient immédiatement suspendues. Il ne s'agit nullement de punir des parents dépassés par l'évolution d'un jeune adolescent, mais de sanctionner ceux qui refuseraient d'être soutenus par l'État qui leur propose la solution de l'internat. Il en irait de même pour les parents qui ne signaleraient pas l'absentéisme systématique de leurs enfants. C'est toujours la même idée, celle de la responsabilité que chacun doit assumer. Une mère célibataire peut facilement être démunie devant l'évolution d'un adolescent. Elle doit être aidée et guidée. Mais refuser de signaler une déscolarisation, c'est de la complicité passive. Elle doit être sanctionnée.

Il est un autre sujet que nous ne pouvons plus laisser dériver car il a pris des proportions dramatiques. Il s'agit de celui angoissant de ces jeunes que l'on appelle les « décrocheurs ». La Cour des comptes évalue à 100 000 chaque année leur nombre. Ils sortent du système scolaire sans qualification. Ils ont bien souvent abandonné l'école après la 3ᵉ et ne se retrouvent dans aucun centre d'apprentissage ni aucune formation digne de ce nom. Ils sont à la rue au sens propre comme figuré. On ne les voit trop souvent réapparaître qu'au moment de demander le RSA. Comment espérer les voir s'insérer dans la société après plusieurs années d'inactivité totale ? Nous ne pouvons plus faire semblant d'ignorer cette réalité catastrophique. Nous ne pouvons pas davantage accepter de sacrifier une partie de notre jeunesse en la laissant dériver petit à petit vers l'exclusion.

Je propose que tous ces décrocheurs, âgés de 18 à 25 ans, soient désormais tenus de faire un service militaire obligatoire, sur le modèle de ce qui existe outre-mer depuis le général de Gaulle. Ceux qui refuseraient ne pourraient plus prétendre à aucune aide sociale. Ainsi, durant une année, ces jeunes retrouveraient l'habitude de se lever tôt, d'accepter une discipline indispensable, de pratiquer des activités physiques, d'améliorer leur pratique du français, de recevoir une formation technique, ou encore pourraient passer leur permis de conduire. Je crois sincèrement que seul un encadrement militaire est capable de réinsérer des jeunes aujourd'hui complètement abandonnés et déstructurés. Ce service militaire pour les décrocheurs sera financé sur le budget de l'Éducation nationale, car si seul un encadrement militaire peut réussir à réinsérer ces jeunes, la mission relève bien de l'Éducation nationale et non de la Défense. C'est donc sur le budget de la première que seront prélevés les 400 millions d'euros nécessaires pour faire fonctionner ce nouveau système. À ceux qui m'objecteront que cela coûte cher, je répondrai que cela sera infiniment moins coûteux que de laisser chaque année des dizaines de milliers de jeunes dériver sans but, sans formation, sans la moindre perspective. Nous enverrons ainsi un signal d'autorité à tous. La perspective de cette année à encadrement militaire pouvant servir à titre préventif pour nombre d'adolescents qui n'auront aucune envie de s'y retrouver.

Ainsi, l'État disposera de tout un panel de réponses adaptées à l'âge et à la gravité de la situation de chaque mineur : internat à encadrement renforcé, service militaire obligatoire pour les décrocheurs, sévérité accrue pour les mineurs délinquants, prisons spécialisées. Le sentiment d'impuissance et d'impunité reculera, car chaque situation aura désormais une réponse.

Nous allons également devoir reprendre rapidement la construction de places de prison supplémentaires. D'abord, pour que les peines puissent être exécutées, complètement. Ensuite, pour tenir compte de notre volonté d'avoir des établissements spécifiques pour les mineurs. Enfin, parce que la situation actuelle, celle de la surpopulation carcérale, n'est pas le résultat d'une prétendue sévérité de la justice, mais d'un manque criant de places face à la réalité des besoins. Dès 2017, nous relancerons en conséquence un programme de construction de 20 000 places nouvelles. À tous ceux qui crieront à la dérive carcérale, je veux rappeler que, avec ces 20 000 places supplémentaires, nous serons tout juste dans la moyenne de nos partenaires européens... qui ne sont pas pour autant considérés comme des régimes répressifs.

Je veux enfin évoquer l'inquiétude liée au décalage croissant entre les décisions de justice et les attentes du citoyen. Je sais parfaitement ce qu'il peut y avoir d'injuste dans la mise en cause de l'ensemble des magistrats par le seul fait du comportement ou des décisions de quelques-uns. Mais pour autant, il y a une attente de fermeté à l'endroit de la délinquance de tous les jours dont le moins que l'on puisse dire est qu'elle n'est pas pleinement satisfaite. La justice est rendue au nom du peuple français. C'est pourquoi je crois d'abord qu'il est indispensable que la majorité sortie des urnes porte et incarne une politique pénale comme elle a une politique économique, sociale, fiscale. Je refuse l'idée, défendue par certains, d'avoir un procureur général de la nation indépendant, qui porterait seul la politique pénale et en dépossèderait le garde des Sceaux. L'autorité de l'État nous impose d'exposer nos convictions. Si nous voulons une politique pénale ferme sur tout le territoire de la république, assumons nos responsabilités et donnons aux procureurs les instructions claires en la matière. Quoi de plus naturel que la nouvelle majorité réponde aux attentes de tous ceux qui ont voté pour elle et pour ses idées ? Des circulaires seront rédigées. Des instructions générales sur la politique pénale seront données. Il s'agit d'un comportement parfaitement républicain. C'est le contraire qui ne le serait pas. Avoir une politique pénale ferme pour le futur gouvernement de l'alternance n'est pas un droit, c'est bien plutôt un devoir.

C'est dans cet esprit que je veux faire des parquets le bras armé de la politique pénale du gouvernement. Ils doivent être renforcés avec des effectifs supplémentaires – auxiliaires de justice, attachés de parquet – mais aussi dans leurs moyens de fonctionnement. Il faut également leur confier l'application des peines. Dans le système actuel, l'application et l'aménagement des peines sont confiés à un magistrat du siège, le juge d'application des peines. Trop souvent, sous couvert d'aménagement, elles sont déconstruites et atténuées. Le parquet, qui aura à mettre en œuvre les orientations de la nouvelle politique pénale, doit retrouver cette mission, notamment dans le suivi des placements en détention. C'est aujourd'hui l'enjeu même du lien de confiance entre les Français et l'institution judiciaire. Ainsi, les Français seraient-ils assurés que la politique pénale qui s'appliquera sera bien celle pour laquelle ils auront préalablement voté.

Pour achever de convaincre le peuple français que la justice est bien rendue en son nom, je souhaite que nous rétablissions les jurés populaires au sein des tribunaux correctionnels. Ultime démonstration que la gauche se méfie du peuple, elle a supprimé cette participation citoyenne que j'avais instaurée. Cela présentera le double avantage de familiariser les Français avec la difficulté de rendre la justice, et cela finira de les convaincre que c'est vraiment en leur nom que désormais les décisions sont prises et prononcées.

Il restera enfin à s'attaquer au problème de toutes ces zones de non-droit qui existent sur notre territoire. Combien y en a-t-il exactement ? Cinquante ou cent, nul ne serait capable de le dire avec précision. La seule chose qui est certaine, c'est que dans nombre de ces territoires, la vie est devenue impossible, pour ne pas dire un enfer. Les trafics de drogue, les comportements mafieux, les violences, les agressions qui sont devenus monnaie courante créent les conditions d'une juxtaposition de ghettos. Les forces de police et de secours ne peuvent plus y pénétrer sauf à créer les conditions d'un rapport de force impressionnant autant que provisoire. Puisqu'on ne peut être parfaitement défendu par l'État, chacun se tourne donc vers sa communauté particulière. Cela n'est plus acceptable. Cela n'est plus tolérable. Cela n'est plus vivable.

Je propose que soient installés, dans chacun de ces quartiers, des postes de police qui ne seront ouverts que la nuit, « heure de pointe » des trafics et de la délinquance, et qui permettront aux honnêtes citoyens d'avoir un endroit où venir se plaindre et de bénéficier de forces de l'ordre dédiées et prêtes à intervenir. Ces effectifs « sédentarisés » seront beaucoup plus efficaces s'agissant de la connaissance des lieux et de la collecte des renseignements. Il faut arrêter d'envoyer par exemple une compagnie de CRS du sud de la France pour trois semaines dans une banlieue lyonnaise. Les policiers ne connaissant ni les lieux ni les habitants ; leur travail ne peut alors être engagé en profondeur. Je souhaite que l'on consacre 5 000 nouveaux emplois de policiers et de gendarmes à ces missions, qui bénéficieront de tous les équipements nécessaires à leur action dans des territoires aussi difficiles.

Dans ces quartiers, tout le monde le sait, règne la loi des caïds et des chefs de bande. L'effet d'entraînement sur les plus jeunes est considérable. Tout doit être fait pour y mettre fin.

En complément de toutes les mesures destinées à lutter contre la récidive, je souhaite que l'on empêche un délinquant, en particulier les trafiquants de drogue, de revenir sévir sur son territoire habituel. Je propose en conséquence de rendre automatique une peine complémentaire d'interdiction de retour dans le quartier, voire dans le département, où le délinquant a l'habitude d'exercer ses trafics, à sa sortie de prison. Et, de façon préventive, je souhaite que le maire puisse se voir confier le pouvoir d'interdire de séjour les perturbateurs de certaines zones de leur commune. Par exemple, un individu qui poserait régulièrement des difficultés à la sortie d'un collège ou dans un centre commercial pourrait recevoir l'injonction du maire de ne plus y paraître, sous peine de sanction judiciaire et pécuniaire.

C'est sans doute dans l'Éducation nationale que le retour d'une autorité ferme et bienveillante est le plus nécessaire. La raison en est simple. Chaque enfant se construit, s'éduque, apprend par la transgression. Or, pour que celle-ci prenne tout son sens pédagogique, encore faut-il que la règle existe et qu'il soit demandé à chacun de la respecter. Sans règles, pas de possibilité de transgression, et donc pas d'éducation. La règle rassure, apaise, construit. Qu'y a-t-il de plus angoissant pour un enfant que d'être livré à lui-même, sans interdits et sans contraintes ? Ces dernières années, l'école a été transformée en un lieu d'expérimentation sociale dont les parents et les enfants sont les cobayes. On a même affirmé que ce n'était plus à l'école de transmettre des savoirs puisque dans l'idéologie à la mode,

c'était à l'élève de construire lui-même son savoir !
Il est temps de revenir à la raison. D'abord je veux
rappeler que ce n'est pas à l'école de se substituer
aux familles. L'école doit enseigner des disciplines et
former au raisonnement. Quant aux enseignants du
second degré, ils ne sont pas des « éducateurs » mais
des professeurs.

J'affirme donc la nécessité de revenir sur la réforme
des collèges et sur celle des rythmes scolaires. Le
pilier de l'école de la République, c'est le professeur,
le savoir qu'il dispense et l'autorité qu'il incarne. Je
suis convaincu que la présence des enseignants ne
peut plus se limiter aux seules heures de cours. La
disponibilité des adultes dans les établissements scolaires doit être renforcée. Et ces derniers doivent
être d'abord les enseignants. La question du nombre
d'heures de leur présence dans les établissements scolaires ne peut plus être contournée ou différée. Pas
davantage que celle de leurs statuts qui doivent être
urgemment revalorisés.

L'accord que je proposerai au personnel de l'Éducation nationale sera simple à appréhender. Chacun
travaillera davantage et sera rémunéré en conséquence.
Le temps de présence des enseignants au collège et au
lycée sera augmenté de 25 %. Ils pourront ainsi disposer de temps supplémentaire pour aider les élèves
qui ont du mal à suivre à faire leurs devoirs dans
des cours de soutien. Mon objectif est que pas un
seul collégien ou lycéen ne se retrouve seul après la
classe sans possibilité de se faire aider et soutenir par
un professionnel. Tous les enfants n'ont pas la chance
de pouvoir s'appuyer sur une famille qui possède les

codes de l'éducation. Toutes les familles n'ont pas les moyens de rémunérer des cours du soir. Mon engagement social prioritaire sera de permettre à tous les enfants de la République d'être aidés de façon personnalisée tout au long de leur scolarité. L'égalité telle que je la conçois ne consiste nullement à donner à tous la même chose, mais à soutenir davantage ceux qui en ont le plus besoin. Cet investissement massif dans l'éducation de tous les enfants sera donc rendu possible par l'augmentation du temps de travail des enseignants. Je ne veux dénigrer personne, d'autant plus que je considère que le métier d'enseigner est sans doute l'un des plus exigeants et aussi des plus difficiles. Mais on ne peut pas continuer avec une obligation de présence de quinze heures par semaine pour les agrégés et de dix-huit heures pour les certifiés, le tout sur une année scolaire si courte.

L'augmentation du temps de travail des enseignants permettra l'encadrement et le soutien individualisé de tous les élèves qui en auront besoin, justifiant ainsi une augmentation de leur rémunération qui facilitera la revalorisation sociale tellement nécessaire du métier d'enseignant. Nous aurons ainsi des personnels mieux rémunérés, travaillant davantage, étant mieux considérés, et moins nombreux. J'ai la conviction que le temps est venu d'investir en matière éducative dans la qualité et non plus seulement dans la quantité comme si l'Éducation nationale était devenue un puits budgétaire sans fond, ni limites. Il n'est pour illustrer cette triste réalité que de penser aux conséquences qu'ont représentées les 60 000 créations de postes décidées par François Hollande dont on se demande bien à quoi elles ont servi.

Je souhaite insister sur un changement majeur qui concernera les élèves du cours préparatoire. Il faut maintenant passer de la théorie aux réalités. La théorie, exacte par ailleurs, c'est de considérer qu'un élève qui ne maîtrise pas les fondamentaux de la lecture dans les premières années de sa scolarité risque de ne jamais véritablement rattraper son retard. La réalité, que les enseignants constatent tous les jours, c'est qu'en laissant passer dans la classe supérieure des élèves de CP qui n'en ont pas le niveau, et qui accumuleront les retards au fur et à mesure de leur scolarité, la société les condamne à l'échec scolaire certain. Si le redoublement systématique ne résout aucun problème, il en va de même avec le passage systématique ! Je voudrais donc que soit créé dans toutes les écoles « un cours préparatoire CP+ » pour les enfants en grande difficulté d'apprentissage de la lecture. Au cours du CP, les enseignants, détectant ces élèves en difficulté d'apprentissage, pourront les intégrer dans cette nouvelle structure, qui leur permettra de bénéficier d'un encadrement renforcé et d'un soutien personnalisé.

Un enfant en grande difficulté en fin de cours préparatoire ne pourra pas être admis en cours élémentaire tant qu'il n'aura pas acquis les savoirs fondamentaux. Ainsi, nous serons assurés que tous nos enfants maîtriseront les bases de la lecture, et nous aurons commencé à résoudre à la racine la question angoissante de tous ces décrocheurs qui finissent par lâcher prise à force d'avoir accumulé les échecs.

Un autre changement majeur que j'appelle de mes vœux concerne le fonctionnement du ministère de l'Éducation nationale. Il est essentiel, à mes yeux, que ce ministère soit gouverné et non plus cogéré. La cogestion, c'est le choix de l'immobilisme. Le ministère doit être aux côtés des professeurs et non au service des syndicats. Il n'est pas nécessaire d'engager une énième grande loi, quelques ajustements législatifs suffiront. C'est le ministre qui doit faire son travail et assumer des choix forts et clairs.

D'abord sur la laïcité. L'école devrait en être l'incarnation même. J'exigerai donc la tolérance zéro à l'égard des pratiques communautaires et de toutes manifestations de contestations de l'autorité et des règles communes. Toutes les attitudes témoignant de ce refus seront combattues et sanctionnées. Je souhaite que le port de signes religieux soit interdit non seulement à l'école, au collège, au lycée, mais également à l'université et même dans les sorties scolaires pour les accompagnants. La règle doit être simple et s'appliquer pour tous à tout moment. Je propose également de mettre fin aux dispositifs d'enseignement des langues des communautés d'origine, jusqu'alors financés par les gouvernements étrangers et qui sont supposés permettre aux enfants de parler la langue d'origine de leurs parents en dehors du temps scolaire mais dans l'établissement. Attachons-nous à ce que nos enfants, quelles que soient leurs origines, parlent le français, c'est déjà un fameux défi. C'est un exemple de plus de ma volonté de voir l'assimilation remplacer la seule intégration.

Nous devrons restaurer un climat scolaire paisible dans tous les établissements de France. Seul, le rétablissement de l'autorité le permettra. Pour cela, il va nous falloir revoir l'échelle des sanctions et ne pas les réduire aux seules punitions disciplinaires : travaux d'intérêt général, obligation de stages de rattrapage, de suivi d'études surveillées... La panoplie peut être large. Mais c'est l'esprit qui comptera le plus. À l'avenir, chaque manquement à la règle de la vie scolaire aura une réponse adaptée. Il s'agit d'une attente forte des parents et des familles. Justement, l'Éducation nationale doit tenir compte de leurs attentes plutôt que de négocier à tout prix les compromis corporatistes habituels. De l'extérieur, cette cogestion donne un sentiment de malaise : celui d'une administration quasi exclusivement tournée sur elle-même et sur la seule satisfaction de ses membres. Qui pilote ? Qui fixe une ligne claire ? Qui assigne les objectifs à atteindre ? Rien n'est clair... Le ministre, les recteurs, les inspecteurs, les proviseurs, les principaux, les directeurs font tout ce qu'ils peuvent, mais que peuvent-ils lorsqu'on leur conteste tous les moyens de l'autorité dont ils auraient pourtant un urgent besoin ? C'est bien pour cela que je crois à l'autonomie de nos établissements scolaires. Au niveau du primaire, je souhaite que les directeurs d'école se voient accorder les moyens de réellement piloter leur établissement, c'est-à-dire que leur soit reconnue l'autorité sur l'ensemble de l'équipe pédagogique, ce qui n'est nullement le cas aujourd'hui. Je propose qu'au niveau du secondaire chaque établissement puisse adapter l'organisation du temps scolaire en fonction de ses projets propres ou des difficultés rencontrées par les élèves. De même, il doit être possible de constituer des classes et des groupes de niveau ou d'organiser le repérage précoce des difficultés et les moyens d'y remédier.

Somme toute, je suis revenu de cette agitation réformiste qui ne débouche jamais sur rien. L'Éducation nationale a été littéralement épuisée depuis 1958 par pas moins d'une nouvelle réforme tous les deux ans. Avec quelles conséquences ? Alors que la France y consacre des moyens financiers beaucoup plus importants que les autres pays de l'OCDE, nos résultats sont plus médiocres. Il faut donc revoir de fond en comble nos méthodes de travail, en assumant un tout petit nombre de priorités mais qui seront mises en œuvre très profondément. J'en ai exposé trois qui concernent le statut des enseignants et leurs heures de travail, la volonté de faire confiance en donnant de l'autonomie à tous les acteurs de l'Éducation nationale et l'engagement de faire respecter la paix publique dans tous les établissements de France par le retour de l'autorité et la possibilité de sanctionner qui en découle. J'ai parfaitement conscience de l'ampleur de la tâche. Cela ne sera pas une partie de plaisir pour l'État de reprendre le pouvoir qu'il a déserté depuis tant d'années. Et pourtant, je suis convaincu qu'il n'y a pas d'autres choix, car cette démission généralisée fait courir de grands risques à la société française dans son ensemble. Je ne doute pas des attaques dont je ferai l'objet. On m'accusera de nostalgie pour le passé, de retour en arrière, au minimum de dérive autoritaire. La gauche m'accusera d'attaquer un monde enseignant qu'elle considère comme une armée électorale à sa disposition. Je suis prêt à affronter tous ces mauvais procès car ils sont tellement éculés que je ne peux imaginer qu'ils puissent continuer à prospérer.

Ma conviction, c'est que la gauche ne respecte les enseignants que le temps de la campagne électorale. Une fois obtenu le vote d'une majorité d'entre eux, elle les abandonne à leurs difficultés et à leur sort sans être le moins du monde attentive aux demandes de tous ceux qui aiment leur travail, souhaitent prendre des initiatives et n'en peuvent plus de cette chape de plomb qui paralyse tout un chacun. Je veux que puissent être valorisés ceux de nos enseignants qui ont la passion de leur métier, qu'ils ont adopté comme une vocation, et qui sont prêts à donner bien davantage dans l'intérêt des enfants qui leur sont confiés. Aujourd'hui, dans le système tel qu'il est devenu, c'est celui ou celle qui prend des initiatives et veut faire plus qui est stigmatisé. Cette administration est devenue une machine à empêcher et à décourager. Je voudrais qu'elle soit tout le contraire, en permettant l'épanouissement et la valorisation de tous ceux qui n'acceptent plus ce déclin éducatif.

Je souhaite donc la mise en place des primes au mérite, d'une évaluation qui tienne bien davantage compte des initiatives prises, et une meilleure considération pour l'expérience de chacun. Quant au reste, je veux que l'Éducation nationale se déconnecte durablement de tous ces effets de mode qui, du péda-gogisme à l'universalisme, lui ont fait perdre tout bon sens. L'éducation n'est pas une affaire de tendance, d'image ou de modes successives. Elle doit reposer sur le socle intangible du travail, de l'effort, du mérite, de la constance. Elle est là pour enseigner et transmettre un savoir. Elle repose sur l'autorité du maître sur ses élèves. Ces derniers doivent y apprendre le goût de l'effort et de la ténacité. Le respect de la règle et de la discipline. Par-dessus tout, l'Éducation nationale doit perpétuer la France en assurant la transmission de l'héritage historique, littéraire, artistique de notre pays. L'école doit apprendre aux jeunes Français à être fiers de leur pays et à l'aimer. L'école de la République doit former des citoyens français. Elle a depuis trop longtemps oublié d'assumer cette responsabilité. Cela fait partie des convictions sur lesquelles je ne suis pas prêt à faire le moindre compromis. De la même manière, je ne crois pas que le nivellement, l'égalitarisme, la médiocrité constituent des valeurs éducatives et encore moins sociales.

Je souhaite que l'école de la République ait le souci constant de l'excellence et de l'exigence. J'ose prononcer ces deux mots qui sont pour moi synonyme de justice sociale. Qui offrira aux enfants des familles les plus modestes la voie de l'excellence et de la réussite si l'école ne le fait pas ? Qui les tirera vers le haut, vers le savoir, vers la culture si l'école ne le propose pas ? Je suis consterné par cette pratique constante qui consiste à abaisser le niveau général pour que tous puissent « prétendument » suivre. C'est une politique de gribouille dont les premières victimes sont les enfants de familles défavorisées. L'excellence est une valeur hautement républicaine. Il faut renouer avec elle, comme il faut donner à lire les grands auteurs ou enseigner l'histoire dans sa chronologie. C'est de bon sens et de stabilité que l'école de la République a le plus besoin. De respect également, celui que les élèves doivent aux maîtres en se levant quand il entre dans la classe. Celui que les familles doivent aux enseignants en respectant leurs décisions. Celui que les enseignants doivent aux familles en les informant précisément sur la situation scolaire de leurs enfants. Celui que la société doit à ceux à qui elle confie l'avenir de la jeunesse en les considérant et en les rémunérant dignement. Ce chantier-là est plus large que celui du seul ministre de l'Éducation, c'est pourquoi il devra être porté par le président de la République. C'est bien à la droite républicaine de redonner à l'école de la République toute sa place dans la société française. Cet objectif central doit être incarné au plus haut niveau de l'État.

* * *

Au moment où j'écrivais ces lignes, survenaient les tragédies de Nice et de Saint-Étienne du Rouvray. Sept fois donc en dix-huit mois, il aura fallu que les Français pleurent leurs morts assassinés par des barbares fanatiques, sans scrupule, et avides d'une notoriété morbide. Jusqu'où irons-nous sur le chemin de l'horreur ? Nous sommes en guerre sur les plans intérieur et extérieur. Il s'agit d'une guerre sans merci. Il nous faut passer de l'émotion compréhensible à l'action immédiate et à la hauteur de la gravité extrême de la situation.

Depuis *Charlie*, les barbares djihadistes ont assassiné pas moins de 237 victimes innocentes sur notre territoire. Nous ne pouvons tolérer que de tels massacres soient perpétrés sans organiser une réaction à la hauteur de l'agression. Cette réaction, ce n'est pas la commémoration, c'est l'action. Bien sûr que le risque zéro n'existe pas. Bien évidemment que celui qui est prêt à risquer sa vie dans une tentative d'attentat aura toujours la possibilité de déjouer notre vigilance. Mais la tolérance zéro, elle, doit exister. Est-ce qu'en France, depuis les premières attaques d'il y a dix-huit mois, tout a été mis en œuvre pour protéger les Français ? La réponse est hélas clairement négative. Je ne dis pas cela dans un esprit polémique. Personne ne peut sérieusement le contester. L'unité nationale ne doit pas être utilisée pour empêcher le débat sur les mesures les plus pertinentes à prendre. Le silence serait complice et donc coupable. Car la menace sur la France a considérablement évolué. Notre riposte ne peut donc demeurer la même. Le djihadisme nous a déclaré une guerre totale, qu'il déploie sur un champ de bataille qui ne connaît aucune frontière, qui ne respecte aucune limite puisque l'éthique et le droit n'existent pas aux yeux de nos ennemis, qui ont pour unique logique la destruction totale de ce que nous sommes. Tout peut devenir une cible potentielle avec un ennemi décidé à tirer parti de nos pesanteurs, de nos hésitations et de notre transparence. Face à cette stratégie d'agression totale, nous devons organiser le réarmement de notre démocratie. Je n'ai nullement l'intention, si je reviens aux responsabilités, de me contenter des minutes de silence, des jours de deuil et des discours. Nous n'avons d'autres choix que d'agir vite et fort. Je reste d'ailleurs convaincu de l'absolue nécessité de déchoir de leur nationalité ceux qui trahissent la France. Aux circonstances exceptionnelles doivent correspondre des réponses exceptionnelles. La polémique sur l'État de droit n'a aucun sens. Contrairement aux dix commandements reçus par Moïse au Mont Sinaï, l'État de droit n'est pas gravé pour l'éternité dans des tables de pierre. Ce n'est pas une norme absolue détachée de l'histoire. C'est une notion relative et vivante qui peut et doit être adaptée aux nécessités de l'époque. On peut être un fervent défenseur comme je le suis de la démocratie et de notre système juridique, et demander que le droit s'adapte à la menace. Les Français exigent la sécurité. Nous la leur garantirons. En tout état de cause, je n'accepterai jamais qu'on demande aux citoyens de choisir entre l'État de droit et la sécurité. L'État de droit ne doit pas devenir un État de faiblesse. C'est la différence irréconciliable que j'ai avec le pouvoir en place. C'est le péché originel d'une gauche qui voudrait que le monde s'adapte à ses principes.

Chacun à travers le monde doit savoir ce qu'il lui en coûtera d'agresser la France. La peur doit changer de camp. D'une stratégie de défensive, nous devons passer à une action offensive. Il s'agira d'appliquer en matière de lutte contre le terrorisme le véritable principe de précaution : agir au nom de la démocratie plutôt que subir la barbarie.

D'abord, si les mots ont un sens, nous ne pouvons plus continuer avec un état d'urgence virtuel. Quelle est la cohérence d'un pays en état d'urgence que l'on couvre de fan zones mobilisant des milliers d'heures de policiers et de gendarmes qui auraient été bien plus utiles dans une action de prévention des actes de terrorisme ? L'urgence ne doit plus être un slogan mais devenir une réalité.

La première des priorités sera de placer dans un centre de rétention fermé, ou d'assigner à résidence sous surveillance électronique, tous les individus français fichés et susceptibles de constituer une menace pour la sécurité nationale. À mes yeux, constitue déjà une menace le fait d'avoir des connexions avec des personnes se livrant à des activités terroristes. Ces connexions peuvent être le fait de contacts directs ou virtuels par le biais de la consultation régulière de sites faisant l'apologie du djihadisme. J'ai parfaitement conscience qu'il s'agit d'une mesure de police administrative qui fera l'objet d'un contrôle juridictionnel *a posteriori*. Juridiquement, cela n'a rien d'extraordinaire puisque cette démarche s'inspire des décisions administratives d'hospitalisation d'office pour des personnes ayant des troubles psychiatriques pour plus de 70 000 cas par an, ou même de placement en centre de rétention pour les étrangers en situation irrégulière. Comparer la démarche que je propose avec la mise en place d'un Guantánamo français est rien de moins que ridicule, car à ma connaissance, depuis quinze ans qu'existe Guantánamo, jamais un contrôle juridictionnel civil n'a été organisé. Et que proposent mes contradicteurs aux Français ? Continuons comme avant et ne changeons rien. Cela ne sera jamais la conception que je me fais de l'action politique. La France ne peut pas laisser ses enfants se faire assassiner sans réagir. Je souhaite que ce débat ait lieu et que nos compatriotes jugent et arbitrent. Je ne doute pas de leur choix.

Quant aux personnes suspectées qui ne seraient pas françaises, je veux leur expulsion immédiate et leur retour dans leur pays d'origine. Pourquoi devrions-nous garder sur notre sol des individus qui, sans être passés à l'acte, ont des relations et un comportement qui ne sont pas compatibles avec l'esprit de la République ? Je veux rappeler que la suppression de la double peine en 2003, dans un contexte sécuritaire totalement différent, n'empêche absolument pas l'expulsion d'un étranger condamné pour terrorisme. Si le gouvernement ne l'a pas fait, ce n'est pas à cause de la suppression de la double peine, c'est parce qu'il n'en a pas la volonté.

En revanche, il n'est, dans le droit actuel, pas toujours possible d'expulser des personnes qui ont été condamnées pour des délits de droit commun. Les conventions internationales et le droit européen protègent en effet le droit à la vie familiale normale, qui s'applique également à ces personnes condamnées. En 2003, la réforme de la double peine visait précisément à tenir compte de ces textes et à les appliquer pleinement en droit français. Le contexte sécuritaire ayant profondément changé, il nous faut aujourd'hui adapter non seulement notre droit national, mais aussi ces textes internationaux. Le pont entre la délinquance de droit commun et le terrorisme est trop large pour que l'on puisse garder en France des étrangers condamnés pour des délits graves. La plupart des terroristes ont un passé de délinquant. Le terrorisme puise ses armes et ses moyens logistiques dans le banditisme, le trafic, la délinquance de droit commun. Lutter contre le terrorisme nécessite donc de s'attaquer également à cette délinquance.

C'est la raison pour laquelle je porterai une réforme de la Convention européenne des droits de l'homme afin qu'elle ne fasse plus obstacle à l'expulsion systématique des étrangers condamnés à une peine d'emprisonnement de plus de cinq ans, à l'issue de leur détention. Une condamnation, et ce sera l'expulsion. Ce seront les mesures qu'il nous faudra assumer pour garantir la sécurité des Français.

La deuxième priorité consistera à donner au ministre de l'Intérieur le pouvoir de s'opposer à l'ouverture de tout lieu de culte constituant une menace pour la sécurité nationale ou d'en ordonner la fermeture. Il s'agit simplement d'accélérer le régime de droit commun hérité de la loi de 1936 sur la dissolution des ligues. Il faut surtout en finir avec l'hypocrisie médiatique s'agissant de l'islam. Naturellement tous les amalgames sont insupportables mais à l'inverse la naïveté est coupable. Il y a bien en la matière une question spécifique à l'islam. Les appels au djihad n'émanent pas, à ma connaissance, des églises ou des synagogues, pas davantage des temples protestants. L'autorité de l'État commande qu'il n'y ait en son sein qu'une politique : celle du refus définitif de tout ce qui, de près ou de loin, ressemble à un islamisme radical. Le ministre de l'Intérieur doit pouvoir agir en la matière fortement, publiquement, rapidement. S'il y a des gens dont nous ne voulons pas sur notre territoire pour des raisons religieuses, alors donnons-nous les moyens juridiques de les interdire.

La troisième priorité consistera à mettre en place les centres de déradicalisation dont nous avons un urgent besoin. Ces centres seront destinés à recevoir les condamnés djihadistes à leur sortie de prison, tant qu'ils présentent une dangerosité certaine. Ils pourront également accueillir des individus en voie de radicalisation sur lesquels l'État doit intervenir pour prévenir tout risque de passage à l'acte, avec l'appui d'équipes pluridisciplinaires, mais aussi ceux faisant l'objet d'une mesure administrative d'interdiction de sortie du territoire. Ces centres sont à mes yeux une priorité. Ils auront vocation à travailler sur une longue durée tant je suis convaincu que « la guerre intérieure » qu'il nous faut engager contre la radicalité concerne des milliers de jeunes Français aujourd'hui « à risque ». Il est insensé de penser que, près de deux ans après les événements ayant ravagé l'équipe de *Charlie Hebdo* et l'Hyper Cacher de la porte de Vincennes de janvier 2015, rien n'a été mis en œuvre dans ce domaine précis. C'est comme si le gouvernement avait été sidéré, abasourdi, paralysé par l'ampleur de la tâche à accomplir. C'est donc bien sur nous que reposera entièrement ce travail. Je le mènerai sans faiblesse. Ce sera un élément clé pour éviter les ferments d'une guerre civile qui pourrait éclater si nous n'avions pas une action à la hauteur de ces défis et si nous ne tuons pas dans l'œuf toutes les tentations d'amalgame. Ici encore c'est bien d'autorité qu'il s'agira. Nous ne voulons sur notre territoire ni des salafistes ni des comportements qui leur sont habituels. Aucun compromis n'est possible, ni aujourd'hui ni demain.

La quatrième priorité consistera à pérenniser les possibilités de perquisitions administratives, de jour et de nuit. Voici un nouvel exemple de la nécessité d'adapter l'État de droit à la réalité de la menace. En matière de lutte contre le terrorisme, la rapidité est décisive pour éviter le passage à l'acte et ses conséquences dramatiques. Or, dans notre droit actuel, sauf état d'urgence, et celui-ci ne peut être permanent, seul le juge peut autoriser les forces de police à perquisitionner et, pour qu'il le fasse, il doit disposer d'éléments concrets et solides justifiant cette mesure lourde et intrusive. Le problème, c'est qu'en agissant ainsi on risque bien souvent d'être en retard. La première mission des services de renseignement, c'est la collecte de renseignements en amont avant même, et de préférence bien avant, tout passage à l'acte. Donc si la police doit attendre d'avoir des preuves pour « visiter » un appartement ou une cave, alors le travail de prévention au service de la sécurité des Français perd beaucoup de son efficacité. Les juristes pointilleux trouveront certainement à redire à ma proposition, pas les Français qui veulent que tout soit engagé avec détermination pour les protéger ainsi que leurs familles. Or, pour des raisons parfaitement incompréhensibles, cette mesure, qui avait été appliquée par l'actuel gouvernement lors des premiers mois de l'état d'urgence, a été abandonnée dès le mois de mai dernier, jusqu'à la tragédie de Nice. Pourquoi ? Dans quel but ? Nul ne le sait. Preuve supplémentaire de l'absence de constance dans l'action sécuritaire actuelle. Elle a dû être réactivée après l'attentat de Nice, lors de la prolongation de l'état d'urgence.

Nous ne vaincrons pas les terroristes si nous ne réarmons pas notre justice pénale en la mettant à la hauteur des besoins de protection de notre nation. Le lien évident entre la délinquance de droit commun et le terrorisme nous impose de mettre fin au laxisme en la matière. Nos règles judiciaires doivent évoluer, c'est ma conviction. Qui peut comprendre qu'un terroriste mis en examen soit remis en liberté sous contrôle judiciaire sans que le parquet puisse s'y opposer ? Notre pays a déjà eu à faire face à des épisodes de terrorisme intérieur, comme nos voisins britanniques ou italiens. Le temps est venu de créer une Cour de sûreté antiterroriste à l'image de la Cour de sûreté de l'État créée par le général de Gaulle contre l'OAS en 1963, puis abrogée par François Mitterrand en 1981, à laquelle serait adossé un parquet national spéciale- ment dédié. L'organisation actuelle, celle d'une cour spécialisée, n'est plus adaptée face à l'ampleur de la menace. Comment juger les ennemis de la France, les centaines de djihadistes sur le retour, si nous imposons à nos juges antiterroristes les mêmes règles, les mêmes contraintes procédurales qu'à la justice de droit commun ? Et surtout si nous ne revoyons pas à la hausse l'échelle des peines ? C'est la condition pour réellement avoir une justice d'une exceptionnelle fer- meté face à une menace qui l'est tout autant. À tous ceux qui pousseront des cris d'orfraie, je demande s'ils peuvent réellement soutenir que la France est aujourd'hui moins menacée qu'elle l'était du temps de général de Gaulle dans les années 1960, ou dans les années 1970, du temps de Georges Pompidou et de Valéry Giscard d'Estaing, dont on ne peut pas dire qu'ils n'étaient pas des gardiens de l'État de droit. Quant à l'argument sur le fait qu'on bousculerait le droit, cela me rappelle les oppositions de la gauche qui ont accompagné la création de la peine de sûreté pour les prédateurs sexuels sortant de prison en 2008. Il n'y a pas d'autre choix que d'agir. Agir selon nos principes et selon l'idée que nous nous faisons de l'État de droit. Or, celui-ci peut et doit évoluer avec la nature de la menace.

Enfin, je crois indispensable que nous changions en profondeur notre politique pénitentiaire pour l'intégrer complètement à la stratégie de lutte contre le terrorisme. La création d'un service de renseignement interne aux prisons, avec tous les moyens techniques qui vont avec, est incontournable. On se demande bien pourquoi cela n'a pas été déjà mis en œuvre depuis janvier 2015. De même que sera inévitable le rattachement des gardiens de prison au ministère de l'Intérieur et non plus à celui de la Justice, dans le cadre d'un ministère de la Sécurité que j'appelle de mes vœux, associant également l'action des douaniers. Toutes ces forces doivent s'intégrer dans une même stratégie collective de sécurité, dirigée par le ministre de l'Intérieur. Il s'agit d'une question majeure d'efficacité. L'autorité de l'État ne peut plus se payer de mots, elle doit se traduire dans les faits sans la moindre trace de faiblesse ou d'hésitation.

La même détermination devra être engagée pour « la guerre extérieure ». L'État islamique doit être éradiqué, comme Al-Qaïda et toutes les organisations de ce type qui sévissent dans le monde. Puisqu'ils font la guerre à la civilisation, la civilisation doit leur faire une guerre totale. L'équation est en somme assez simple. Ce seront les barbares ou nous. Nous n'avons d'autres choix que de faire face et donc de nous battre. Nous devons nous en donner les moyens. Ce qui est loin d'être le cas aujourd'hui. C'est la raison pour laquelle je veux augmenter l'effort de défense nationale, pour porter son budget à 41 milliards d'euros au bout de cinq ans, contre 32 milliards d'euros aujourd'hui. Cette augmentation budgétaire est inévitable, si l'on veut mettre fin à l'extrême fatigue de nos hommes et à l'usure de leurs équipements. Ici aussi les paroles sont insuffisantes. Il faut agir concrètement.

Pour gagner cette guerre extérieure, je prendrai trois initiatives qui seront autant d'inflexions majeures à ce que l'on a peine à désigner comme étant aujourd'hui une politique étrangère. Nous ne pouvons pas en effet accepter d'être réduits à cette voix devenue inaudible. Les apparences ne sont même plus préservées. La France n'est plus un acteur puisqu'elle est d'abord devenue une cible.

Ma première initiative sera de me rendre à Moscou afin de convaincre Vladimir Poutine que déjà trop de temps a été perdu et qu'il faut rassembler les deux coalitions internationales qui, aujourd'hui, se contredisent sur le théâtre syrien. Nous avons besoin des Russes pour ramener la paix en Syrie et éradiquer l'État islamique. Cette réalité est incontournable. Nous ne pouvons pas nous permettre une nouvelle guerre froide qui n'a à proprement parler aucun sens face aux dangers que représente le terrorisme islamiste. Les sanctions contre la Russie devront être levées pour obtenir en retour qu'elle abandonne les siennes. Nous pourrons ainsi nous appuyer sur une seule coalition internationale dont la priorité sera la destruction des barbares de l'État islamique. Cela permettra en outre d'apaiser la crise ukrainienne en reprenant les discussions dans un climat de confiance retrouvée, avec comme objectif le respect des principes des Nations unies, notamment sur le thème des frontières. Le retour des Russes dans la négociation internationale ne réglera bien sûr pas la crise syrienne d'un coup de baguette magique mais il s'agit d'un préalable inévitable autant qu'indispensable.

Il faudra ensuite organiser une force internationale digne de ce nom. Il est vain d'envisager de gagner cette guerre sans troupes au sol. La maîtrise des airs est capitale mais, pour vaincre, il faut des soldats qui se battent à terre. Nos partenaires arabes sont prêts à le faire, pour peu qu'ils sentent une réelle détermination de la communauté internationale. Seuls des Arabes pourront combattre d'autres Arabes, sans que soient créées les conditions d'un nouveau conflit postcolonial. Nous, les Européens, ne devons ni ne pouvons envoyer des troupes au sol. Mais l'Arabie Saoudite, l'Égypte, les Émirats, le Qatar sont prêts à le faire. Il faut les y encourager. Il s'agit d'un point décisif pour la victoire. Je dénonce d'ailleurs une certaine superficialité des débats sur la Syrie en particulier et sur le monde arabe en général. Dans un souci de positionnement personnel, certains observateurs appellent à un changement des alliances de la France dans la région, demandant ainsi, à mots couverts, que soient rompues nos relations avec l'Arabie Saoudite, l'Iran, les Émirats ou encore avec le Qatar. D'abord une précision à l'endroit de l'Arabie Saoudite qui est suspectée, par les mêmes, d'être l'un des bailleurs de fonds des terroristes. Nous avons à juste titre des désaccords avec ce régime. Il n'est nullement possible de les minimiser ou de les masquer. Mais je veux rappeler que, rien qu'au mois de juillet dernier, l'Arabie a été victime de trois attentats suicides menés par des terroristes islamistes. Par ailleurs, ce pays combat nos mêmes ennemis au Yémen, en Égypte, en Syrie, sur son sol, partout où ils sont présents. Nous devons donc les inciter à en faire davantage, pas les décourager.

Quant à nous, les Français, nous ne devons surtout pas choisir entre les sunnites « dirigés » par l'Arabie Saoudite et les chiites « dirigés » par l'Iran. La vocation de la France, c'est de parler à tout le monde. C'est de rapprocher les points de vue. C'est d'être une passerelle entre ces deux mondes chiite et sunnite dont l'affrontement est une catastrophe pour la planète dans son ensemble et pour le monde occidental en particulier. Si, dans les relations internationales, il ne fallait parler qu'avec les pays avec qui on n'a aucune divergence d'intérêts et de pensées, alors le compte serait vite fait. On ne parlerait plus à personne... Je me fais une tout autre idée de la politique étrangère de la France. En tout cas, espérer trouver une issue à l'imbroglio syrien sans l'Arabie Saoudite, sans l'Iran et sans les Russes est une stratégie vouée à un échec certain. C'est même tout le contraire qu'il faut mettre en œuvre et le plus rapidement possible.

J'ai enfin bien conscience que la solution ne sera pas que militaire face à ce monde arabe méditerranéen qui s'affaisse de toutes parts. La catastrophe doit être évitée car il s'agit de la Méditerranée qui est en quelque sorte notre « jardin » tant notre proximité géographique est forte. Pour le moins, nous ne pouvons, en aucun cas, nous en désintéresser. Les conséquences pour notre sécurité seraient trop graves. Autant il était légitime de s'interroger sur l'utilité dans le passé d'une intervention au Koweït, en Irak, en Afghanistan, autant tout ce qui touche à cette mer qui nous est si proche est devenu un enjeu considérable. Tunis est à un peu plus de 800 kilomètres de Nice ! Les conséquences des soubresauts qui agitent tout le pourtour du sud de la Méditerranée se feront sentir d'abord en Europe. Ici, se joueront la paix, la maîtrise des flux migratoires, la sécurité de nos capitales et même une partie de l'avenir de la civilisation européenne. Nous ne devons donc pas intervenir moins dans cette région du monde, mais davantage et mieux. En Libye, nous avons bien agi militairement, mais à partir de 2012 nous avons failli à maîtriser les conséquences politiques de cette action. J'ai la conviction qu'il ne peut pas y avoir d'actions militaires qui ne soient portées par un projet ou au minimum une vision politique de l'avenir du territoire où se déroulent les opérations. Ce n'est pas bien sûr à la France de déterminer l'avenir des pays du Sud méditerranéen, leurs futures constitutions, leurs frontières. Ce sont les peuples concernés qui doivent décider par eux-mêmes et pour eux-mêmes. Mais la France a une autorité politique, une autorité morale, une autorité militaire et une proximité géographique qui en font un acteur incontournable de la Méditerranée. Personne d'autre qu'elle ne peut aussi bien tenir ce rôle de facilitateur et d'intermédiaire, qui permettra d'apaiser les tensions multiples entre des communautés qui doivent retrouver le moyen de parler entre elles. Le mot clé est celui de la « diversité ». L'identité du Sud méditerranéen repose sur lui. Les chiites, les sunnites, les druzes, les juifs, les chrétiens, les alaouites vivent depuis des siècles ensemble sur les mêmes territoires. Cette diversité est un miracle à préserver à tout prix. La France doit porter l'étendard de cette richesse multiple, et d'abord en mettant tout en œuvre pour que cesse le génocide des chrétiens d'Orient. Ne pas les défendre, ne pas les protéger, ne pas les aider serait pour nous rien de moins qu'une trahison. Une fois l'État islamique éradiqué, la France devra donc prendre l'initiative d'une conférence internationale pour remettre en place l'Union pour la Méditerranée qui a été abandonnée. Il nous faudra donc tout à la fois conduire une action militaire très déterminée et une ambitieuse activité diplomatique pour gérer les conséquences du conflit et du délitement d'une région indispensable à notre stabilité. L'autorité n'est pas un mot à usage seulement intérieur. Il comptera tout autant pour redonner à la

France, la place qui doit être la sienne dans le concert des grandes nations.

* * *

Au moment où je termine ce chapitre sur l'autorité, je veux évoquer la crédibilité et l'autorité de la parole politique. Qui croit encore aux paroles, aux discours, aux promesses dans notre démocratie ? Plus personne ou presque. Les médias en ont fait un jeu dangereux avec la dérision systématique. Les citoyens n'ont plus confiance. Doit-on se résigner à ce désastre ? Pour moi, la réponse est clairement négative. Je ne veux pas m'y résoudre. Je ne veux pas renoncer. L'enjeu est trop important, trop lourd de sens, trop décisif pour notre avenir. Pour répondre à cette crise, il n'y a qu'un seul moyen : l'action. L'action rapide et forte. Je dirai même l'action immédiate et sans délai. De ce seul point de vue, les six premiers mois du prochain quinquennat seront décisifs et devront permettre à chaque Français de constater combien les choses auront commencé à changer en profondeur. L'autorité de l'État doit retrouver son lustre et sa crédibilité, par la preuve, par l'action.

Dès le mois de juillet 2017 devront donc être définitivement votées et adoptées toutes les mesures de baisse d'impôts, de réduction des dépenses publiques et d'assouplissement du droit du travail. Cette action fera l'objet de trois projets de lois distincts discutés simultanément par l'Assemblée nationale et le Sénat. Tous les décrets d'application devront être pris avant la fin de l'année 2017. Si bien que l'ensemble de ces nouvelles mesures pourront entrer en vigueur au 1er janvier 2018. Il en sera de même pour les mesures relatives à la sécurité et à la lutte contre le terrorisme, qui nécessiteront le vote d'un projet de loi, là encore pendant l'été 2017.

Je sais que tout cela va bousculer bien des habitudes dans nos administrations. Mais il va falloir en passer par là si nous voulons retrouver la confiance des citoyens. Le temps interminable qui s'étale entre l'annonce d'une mesure et son entrée en vigueur n'est plus acceptable. L'administration n'est pas là pour freiner l'action mais pour l'encourager. Les combats d'arrière-garde administratifs vont finir par provoquer la révolte des Français. Ici aussi la colère gronde, et il nous faut en tenir compte. Je suis certain que la rapidité de notre action est la seule réponse crédible à la crise de la démocratie. La concertation et le dialogue ne doivent plus être des prétextes à différer, à retarder, à compliquer. Je dirais même, à l'aune de mon expérience, que sans doute les meilleures négociations sont celles que l'on sait mener rapidement. Je suis bien décidé à faire sauter tous les verrous administratifs qui, loin de protéger le citoyen, ne font que l'exaspérer, tant le sentiment de l'impuissance de l'État est présent dans toutes les têtes. Le seul changement qui trouvera du crédit auprès des Français sera non celui qui aura été annoncé mais celui qui sera converti en action. Je veux que la rapidité de la mise en place de l'alternance soit la marque caractéristique de ce futur quinquennat, qu'il tranche de ce seul point de vue avec toutes les expériences antérieures. Tout ce que nous dirons, nous le ferons. Tout ce que nous ferons entrera immédiatement en vigueur. Je ne veux plus le moindre décalage entre la parole, l'annonce et les faits. Ce sera le premier critère du jugement des Français sur le nouveau pouvoir.

V

Le défi de la liberté

C'est sans doute le mot le plus utilisé et le plus populaire de la langue française. Il est employé à tout propos, prononcé sans cesse. Il s'agit même du premier parmi le triptyque de notre devise républicaine : liberté, égalité, fraternité. La Révolution française en a été son emblème. Nos anciens combattants payèrent de leurs vies leur attachement à la liberté de la nation. C'est la première revendication des enfants devenus adolescents. Pour chacun de nous la quête de la liberté commence à la naissance et finit avec la mort. Il s'agit d'une soif inextinguible qui correspond au plus intime de l'identité humaine. Et pourtant, l'évolution de la société française n'a cessé tout au long de ces dernières années d'aller quasi systématiquement vers le recul de nos libertés. Les motivations sont diverses mais la direction reste la même. Un jour, c'est le progrès qui doit être sévèrement borné, au motif du principe de précaution dont j'ai déjà évoqué les dérives. Un autre, c'est la liberté d'entreprendre qui est un peu plus découragée par la multiplication de normes toujours plus contraignantes. Plus généralement, c'est la société de la méfiance généralisée qui se met en place. Quand la société ne se fie plus au citoyen, c'est la règle, la norme, l'interdiction qui supplantent peu à peu la liberté. C'est bien simple, l'interdit l'emporte désormais sur l'initiative, l'innovation, l'invention, la création. Entre cette obsession normative et la frénésie fiscale, le pouvoir est progressivement parvenu à fossiliser la société. La règle est devenue l'interdiction. L'exception, ce qui est autorisé. Ceux qui veulent entreprendre sont poussés à partir à l'étranger. Quant à ceux qui, de l'extérieur, voudraient venir en France pour faire dans notre pays ce qu'ils ont réussi à mettre en œuvre ailleurs, la porte leur est alors systématiquement fermée.

Je veux libérer la France et les Français de ce carcan. J'imagine la société de la confiance, de la responsabilité, de la liberté. L'administration doit une fois pour toutes faire ce pari et donc le débarrasser de toutes ces contraintes quotidiennes.

L'interdiction ne doit plus être un réflexe. Et le bon sens devra de toute urgence reprendre sa place. La règle doit être la liberté, l'interdiction doit redevenir l'exception. L'exemple le plus caricatural de cette évolution concerne la politique du gouvernement actuel en matière de santé publique. D'un côté, on se précipite pour réglementer l'usage de la cigarette électronique. De l'autre, un ministre de l'Éducation nationale plaide pour la dépénalisation de l'usage du cannabis. Où est la cohérence ? Où est le véritable risque ? La pénalisation de l'usage des drogues est nécessaire pour aider les familles et les éducateurs à dissuader un adolescent de consommer un produit qui nuit à sa santé. Si l'État supprime ce tabou, que restera-t-il alors comme argument à utiliser à la mère de famille seule face à sa fille ou à son fils pour lui interdire la consommation d'un produit stupéfiant ? Et que dire de la création par le gouvernement de « salles de shoot », dans lesquelles la consommation de drogues est autorisée ? Rassurons-nous en mentionnant que l'arrêté ministériel qui les a créées a bien précisé qu'il est interdit d'y fumer... Peut-on imaginer une politique de santé publique plus chaotique ? Je crois à l'éducation, je crois au symbole, je crois à la règle qui éduque.

La simplification doit cesser d'être une formule creuse et devenir enfin une réalité. Pourquoi multiplier les formulaires et les dossiers à remplir pour accéder à la moindre demande ou au plus petit service administratif ? Qui a eu entre ses mains le formulaire d'inscription de l'un de ses parents dans une maison de retraite médicalisée sait ce que l'administration peut produire de pire en termes de complexité. Et il en va de même des feuilles de paie, des actes de propriété, des dossiers d'inscription dans les universités. Il y a d'ailleurs un bien curieux paradoxe, celui de la place croissante du numérique dans nos vies quotidiennes qui devrait faciliter bien plus encore l'accès à tous les services et dans le même temps celle d'une administration de plus en plus tatillonne.

Il nous faudra organiser un effort sans précédent d'allégement, de simplification, de déverrouillage. Toutes les administrations seront concernées. Toutes les réglementations inutiles et superfétatoires seront traquées. Je souhaite qu'un ministre soit affecté à temps plein à cette tâche immense et indispensable et que, lors de chaque session parlementaire, des journées entières de notre Parlement soient obligatoirement consacrées à la suppression de lois et de règles devenues inutiles et à la simplification des procédures. Les citoyens eux-mêmes devront pouvoir proposer des initiatives dans ces domaines. Pour cela, je propose que la France s'aligne systématiquement sur ceux de ses partenaires qui ont imaginé les processus administratifs les plus simples. Nous devons nous lancer dans une vaste procédure de comparaisons internationales, pour nous permettre de nous inspirer des meilleures pratiques étrangères. Voir dans le monde où, par exemple, il est le plus facile de créer son entreprise, de déposer un permis de construire, de léguer un patrimoine à ses enfants, et l'adopter pour nous-mêmes. L'effet sera saisissant sur l'humeur de la société française. Nous trouverons alors des réservoirs inconnus de croissance. Et si l'État fait à nouveau confiance aux citoyens, ceux-ci le lui rendront rapidement en croyant en sa parole et en son efficacité.

J'avais constaté cette opportunité formidable de dynamisme que pouvait révéler la liberté avec la création du statut des autoentrepreneurs. Ce ne fut pas loin d'un million de nouvelles petites entreprises qui furent créées. Le principe était simple : un formulaire

unique et pas d'impôts à payer avant le premier centime de chiffre d'affaires. Le succès a été au-delà de
mes espérances, et ce malgré l'extrême violence de la
crise économique qui balaya le monde entre 2008 et
2010. J'avais déjà vu le même engouement lorsque,
ministre des Finances en 2004, j'avais décidé d'exonérer de tout impôt les donations jusqu'à 32 000 euros
par enfant et tous les quinze ans. J'avais à l'époque
exigé un formulaire rédigé uniquement recto verso. Ce
fut un vrai combat tant l'administration fiscale voulait
multiplier les conditions et les garanties. À l'arrivée,
le succès fut également au rendez-vous. Je souhaite
que demain ce type d'initiatives « exceptionnelles »
devienne la norme. Au lieu de s'enthousiasmer de la
simplicité d'une procédure rare, je préfère que l'on
s'indigne de la complexité d'une règle isolée qui serait
juste la survivance du « monde d'avant ». Je sais que
le statut des autoentrepreneurs a fait polémique du
fait d'une forme de concurrence déloyale à l'endroit
des commerçants et des artisans. Mais voici un parfait exemple des changements que je souhaite mettre
en œuvre. Au lieu de stopper le dynamisme des autoentrepreneurs, ce qui serait la réaction administrative
habituelle, je veux diminuer les charges, les lourdeurs,
et la complexité effroyable de la gestion de toutes les
entreprises, à commencer par les plus petites. Au lieu
de tirer tout le monde vers la contrainte maximale,
amenons chacun vers la liberté. De ce point de vue,
le régime social des indépendants (le RSI) est devenu
un beau symbole de ce qu'il ne faut pas faire. Tous
les adhérents de ce régime sont vent debout contre
ses dysfonctionnements majeurs, que l'augmentation

des cotisations décidées à partir de juin 2012 n'a fait que rendre encore moins supportables. Je souhaite sa remise à plat complète, et la disparition d'une attitude administrative où l'on « assigne » son adhérent avant même qu'il ait eu l'opportunité de s'expliquer. Je veux agir dans la même direction s'agissant de ce qu'il est convenu d'appeler « l'uberisation » de la société. Au lieu de monter les uns contre les autres, de laisser se dégrader la situation parfois violente entre les taxis traditionnels et les Uber, de subir une évolution, qui sera au final positive pour tout le monde. Il faut aller de l'avant, en expliquant qu'il y aura de la place pour chacun dans l'avenir, que les Uber ne peuvent pas s'exonérer de toutes les règles et qu'il est normal que l'État aide le système traditionnel des taxis à se moderniser. Je pense notamment à ceux qui ont, dans le passé récent, acheté une licence et qui devront être progressivement indemnisés. Il est naturel que, dans le même mouvement, ces derniers puissent accéder dans les mêmes conditions aux possibilités innombrables du numérique. Je crois qu'un accord est possible si l'on veut bien reconnaître la diversité des situations et accepter une certaine souplesse.

Ce mouvement vers davantage de liberté devra être engagé dans de multiples directions. D'abord celle du travail le dimanche. Cet anachronisme français qui veut que l'on n'ait quasiment pas le droit de travailler le dimanche dans le pays qui au monde reçoit le plus de touristes, pas loin de 90 millions chaque année. Comment expliquer une telle contradiction ? Pourquoi la loi Macron autorise-t-elle douze dimanches par an au maximum ? Pourquoi ce chiffre ? Pourquoi encore et toujours ces occasions offertes de nouveaux contrôles ? Je suis partisan de la liberté de travailler le dimanche, à condition que les salariés soient mieux payés que durant les jours de semaine, et que cela soit sur la base du volontariat. N'est-il pas plus simple de laisser chacun choisir le rythme de travail qui doit être le sien et chaque entreprise déterminer ses jours d'ouverture ? Cette souplesse offerte facilitera la vie et permettra d'adapter l'ouverture des magasins à l'activité commerciale de la zone concernée. Quelle peut bien être la logique qui prévaut de donner le pouvoir exorbitant aux centrales syndicales nationales, de refuser toute ouverture du dimanche à un grand magasin qui en a besoin ? Ainsi au nom de la prétendue défense générale des salariés, les syndicats empêchent ceux parmi ces derniers qui voudraient travailler le dimanche de le faire. A-t-on vu situation plus ubuesque et plus archaïque ? Le résultat est connu. C'est moins de croissance, des opportunités de ventes perdues et des combats idéologiques homériques. Le tout dans un pays qui a 6 millions de chômeurs et une croissance désespérément atone depuis bientôt cinq ans. À croire que nous prenons un malin plaisir à nous mettre des bâtons dans les roues. Comme si déjà nous ne connaissions pas suffisamment de difficultés pour en rajouter de bien inutiles. Si je suis élu, je souhaite que les règles soient simples, et surtout qu'elles donnent le fin mot aux salariés eux-mêmes. La loi Macron, en accordant aux organisations syndicales un droit de veto sur ce sujet, n'a abouti qu'à des changements marginaux. Le cadre que je mettrai en place consistera à donner la possibilité au chef d'entreprise de consulter directement ses salariés par référendum pour passer outre l'opposition syndicale.

Je défendrai la même idée de liberté s'agissant du cumul de la retraite et d'un emploi. Je souhaite que chacun ait la liberté complète une fois à la retraite de pouvoir cumuler sa pension avec le revenu de son travail. En effet, on touche sa retraite parce que l'on a cotisé. C'est le produit cumulé de ces cotisations qui ouvre le droit à une pension. Nous avons largement facilité les conditions du cumul emploi retraite en 2009, la mesure a fait la preuve de son succès ; il faut maintenant aller plus loin et supprimer les conditions restrictives qui demeurent pour certains assurés, en supprimant dans tous les cas le plafonnement du cumul. Chacun devra donc être absolument libre, sans que l'on touche à sa retraite, de s'engager dans une nouvelle aventure professionnelle s'il en éprouve le besoin, l'envie, la nécessité. L'État ne devrait pas y trouver à redire. Il s'agit d'une démarche personnelle, volontaire, assumée. Nous avons tous des forces physiques ou une santé bien différentes, il est normal que chacun puisse adapter la poursuite de sa carrière à l'énergie dont il dispose.

Mes convictions sont encore les mêmes s'agissant de la question des salaires et notamment des plus élevés parmi eux. Elle est délicate parce que les affaires d'argent mettent toujours mal à l'aise les élites françaises. Comme si elles en étaient honteuses. Comme si le simple fait d'évoquer « l'argent » était un signe de mauvaise éducation. Les raisons de cette diabolisation sont multiples. Il ne s'agit nullement d'en débattre ici mais de proposer un nouveau raisonnement. Dans les salaires de certains grands patrons, ce qui me choque n'est pas qu'ils soient élevés, mais bien plutôt qu'ils ne soient pas toujours mérités ! Autrement dit, à mes yeux, peu importe le montant si ce dernier est justifié par les compétences, l'engagement personnel, la réussite collective de l'entreprise concernée. Quand François Hollande se glorifie d'avoir baissé son salaire, nous sommes nombreux à penser qu'il eût mieux valu qu'il le conserve tel qu'il l'avait trouvé et qu'il nous gratifie de moins d'erreurs... Ainsi, qu'un patron qui échoue dans sa stratégie d'entreprise et à qui le conseil d'administration accorde une augmentation n'est rien de moins qu'un scandale. Ce qui est beaucoup trop pour un chef d'entreprise qui échoue peut n'avoir rien de choquant pour celui qui a pris des risques, a réussi et créé de nombreux emplois. Ici encore la liberté doit demeurer la règle. Vaut-il mieux un bon patron très bien payé, ou un médiocre bénéficiant d'un salaire moyen ? Pour moi, c'est clair. Je veux pour les entreprises françaises les meilleurs dirigeants. Car ce sont les salariés des entreprises concernées qui en bénéficieront. Mes convictions ne changent pas. Je crois au mérite, au talent, au travail, à l'effort. Et cela ne me gêne donc nullement qu'ils soient récompensés, à la seule condition que les actionnaires aient le dernier mot et puissent en conséquence refuser une rémunération qu'ils jugeraient injustifiée ou disproportionnée.

S'il est un domaine où les espaces de liberté doivent pouvoir continuer à être promus, c'est bien celui de l'université. En 2008, j'ai voulu et fait voter la première grande loi sur l'autonomie des universités. Ce fut un fameux combat durant lequel il nous a fallu tenir et résister à la pression d'un environnement syndical très majoritairement hostile. Toutes les tentatives pour aller dans cette direction avaient jusque-là piteusement échoué, certaines avant même d'avoir été proposées ! Il suffisait en effet de prononcer le mot « autonomie » pour qu'immédiatement se déchaînent le ban et l'arrière-ban de l'opposition universitaire. Entre les intérêts corporatistes des uns qui veulent que rien ne bouge et les pulsions idéologiques des autres pour qui certaines universités sont un refuge, l'immobilisme règne en maître absolu. Avec Valérie Pécresse et Laurent Wauquiez nous avons pu déverrouiller un système complètement cadenassé. Mais, dans mon esprit, ce n'était qu'une première étape qui devait nécessairement être suivie par d'autres tout aussi nécessaires. Je souhaite donc une ambitieuse loi n° 2 portant sur l'élargissement de l'autonomie des universités. Il faut à tout prix s'appuyer sur les universitaires, les professeurs, les chercheurs, en leur donnant la liberté d'organiser leurs établissements en fonction de leur environnement économique, culturel, social. Chacune de nos universités doit pouvoir s'adapter au contexte particulier qui est le sien. Tout le monde ne veut pas avancer à la même vitesse, être organisé de la même façon, travailler à l'identique. L'excellence peut être multiple. C'est l'uniformité qui tue l'unité. Il faut laisser nos équipes universitaires donner libre cours à leurs talents, à leurs originalités, à leurs envies d'innover. Je crois ce mouvement absolument indispensable, et même sur les deux sujets explosifs du montant des droits d'inscription et des critères de la sélection. S'inscrire à l'université est un droit qui devrait se mériter par son travail et par ses efforts. Accepter tout le monde, y compris ceux qui ne veulent rien y faire, qui plus est dans des filières où l'avenir est complètement bouché tant le chômage y est important, n'est rien d'autre qu'une démission de l'État. N'ayant pas le courage de dire « non » au début, on laisse ainsi tant de jeunes s'enfermer pendant des années sans aucune perspective. C'est donc pour eux la sélection par l'échec au lieu de l'être par le mérite. Je ne veux plus de cette facilité collective où tout le monde est perdant. Il n'est que temps de réagir.

Le mot sélection doit pouvoir être prononcé sans provoquer les réactions éruptives habituelles. Je proposerai donc dans « cette loi Autonomie n° 2 » que la liberté soit laissée à chacune de nos universités de fixer les critères de la sélection à l'entrée de leurs cursus. Libre à elles de choisir à quel moment elles organiseront ce processus de sélection : en 1re, 2e ou 3e année. Elles pourront également en définir les modalités, soit un choix effectué sur dossier, soit un examen écrit, soit un grand oral, ou même les trois. Le diplôme décerné par nos universités demeurera national, validé par l'État et reconnu partout en France, mais les modalités d'entrée dans les universités seront de la responsabilité des équipes dirigeantes. Elles seront variables d'un établissement à l'autre. La liberté deviendra la règle. En conséquence, certaines de nos universités seront sans doute plus demandées ou recherchées que d'autres. Mais c'est déjà le cas aujourd'hui de façon insidieuse sans que personne en connaisse les règles exactes. Tout est devenu affaire de réputation, d'image, de réseaux. Dans le système que j'imagine, chacun pourra regagner sa place ou la perdre, mais de manière claire et transparente. La concurrence saine et loyale pourra fonctionner entre les différents établissements. Les étudiants et leurs familles auront la liberté de choisir. Il n'y aura pas de secteur géographique de recrutement obligatoire. L'émulation et la créativité auront pris le pouvoir. Le succès sera rendu possible pour chacun. La liberté est la seule voie possible pour rendre toute sa place à l'université française.

Je souhaite que soit retenu le même principe pour les droits d'inscription. Pourquoi fixer une règle nationale unique ? Quel est l'intérêt pratique de traiter les universités les plus dynamiques comme celles qui le sont le moins ? Fixer librement le montant des droits d'inscription, et accorder dans le même temps la possibilité de déterminer le montant des bourses que l'université veut distribuer est la voie la plus prometteuse. Chacun ainsi pourra choisir le libre usage de ses droits et sa politique en faveur des boursiers. Tous les pays du monde qui ont fait le choix de l'autonomie disposent des universités les plus efficientes et les plus réputées.

Je souhaite que nous allions plus loin encore en autorisant demain chacun des établissements universitaires à créer au sein de leur campus un incubateur de start-up qui permettra à chaque étudiant d'avoir l'opportunité de développer son entreprise en bénéficiant de locaux mis à sa disposition gratuitement. L'université sera autorisée à prendre une participation en capital dans les jeunes entreprises ainsi créées. Nous verrons ainsi la formidable floraison d'un nouveau tissu entrepreneurial et d'une nouvelle génération de chefs d'entreprise. Ainsi seront réconciliés durablement le monde de l'université et celui de l'entreprise. Dans le même esprit, je souhaite que la composition des conseils d'administration de nos universités obéisse à des règles beaucoup plus souples. Il n'est nullement nécessaire qu'elle soit la même dans chacune d'entre elles. Ici ou là, il pourra y avoir davantage de personnalités extérieures au monde universitaire qui apporteront leurs expériences et leurs visions propres. Je demanderai qu'elles aient le même droit de vote que les autres administrateurs. L'université ne peut et ne doit pas vivre en vase clos. La représentation syndicale ne peut espérer obtenir tous les postes. Je proposerai la même liberté pour le choix des matières à enseigner comme pour le recrutement des enseignants français comme étrangers. Ce qui se jouera n'est ni plus ni moins que le maintien de la France en « première division » universitaire. Je veux que les jeunes étudiants français puissent trouver dans leur pays leur avenir post-bac sans être obligés comme aujourd'hui de si souvent devoir s'exiler. Enfin, je souhaite qu'il y ait une relation réellement contractuelle entre le ministère et les universités, que ces dernières soient jugées sur leurs résultats, et que s'allège la tutelle constante des administrations centrales.

J'ai conscience, là encore, de la profondeur des changements suggérés. Nous n'avons pas à en avoir peur. Les autres l'ont fait avant nous, plus fortement que nous. Ils ont réussi. Nous devons suivre le même chemin, la réussite sera au rendez-vous.

* * *

Avec l'université, le vaste domaine de la santé est celui qui devrait bénéficier du plus grand effort vers la liberté. Il s'agit d'abord de réaffirmer mon attachement à la médecine libérale. Avoir pour le patient la liberté de choisir son praticien est un droit fondamental. Et la liberté pour celui-ci de prescrire le traitement de son choix ne l'est pas moins. Il s'agit d'un socle qui nous a permis de bénéficier de l'une des meilleures médecines du monde. Le principe doit être réaffirmé avec force face aux velléités d'étatisation et de dirigisme qui ressortent périodiquement des cartons de l'administration. C'est pourquoi j'abrogerai immédiatement le tiers payant généralisé. Le processus engagé par Mme Touraine est désastreux à plus d'un titre. D'abord, il déresponsabilise les patients en leur faisant croire que la médecine est gratuite. Ce qui est faux, car elle a bien évidemment un coût et même un coût élevé. Laisser à penser que la sécurité sociale réglera à votre place le médecin est un très mauvais signal qui est adressé aux patients : celui de la déresponsabilisation. Ensuite, c'est inutile car nos compatriotes les plus démunis peuvent aujourd'hui bénéficier de la gratuité des soins par la CMU. Enfin, et ce n'est pas le moins grave, cela conduira à la fonctionnarisation des médecins. En effet ceux-ci avec le tiers payant généralisé n'auront plus qu'un seul client : l'assurance maladie. Qui paye décide ! Et il en sera progressivement fini de la liberté des prescriptions car l'administration ne manquera pas d'envoyer aux praticiens ses recommandations qui deviendront des ordres. Et cela sera tout autant la fin pour les Français de la possibilité de choisir son médecin. Car l'assurance maladie désignera alors à chacun de nous le médecin du secteur à aller consulter à l'exception de tous les autres. Voilà comment on prend le risque de fonctionnariser les médecins et de détruire tout ce qui a fait la force et l'efficience de la médecine française. Voilà pourquoi ce système n'est pas acceptable. Il contrevient en effet frontalement à notre attachement et à notre conception de la liberté.

C'est la raison pour laquelle je crois indispensable de mettre la priorité durant le prochain quinquennat sur la médecine libérale. Il faut donner à ces professionnels passionnés de nouvelles perspectives pour continuer à attirer les plus jeunes vers la carrière de médecins. Il faut revaloriser leurs statuts, rendre plus attractive la profession, l'alléger des contraintes administratives qui la rendent si lourde à exercer.

Je crois d'abord nécessaire la modification des conditions de la rémunération de nos médecins libéraux. 23 euros par consultation, bientôt 25, quand on connaît la difficulté des études médicales et leur longueur, cela n'a pas beaucoup de sens. Je suis attaché à la rémunération à l'acte qu'il faudra conserver mais souhaite « l'enrichir » d'autres paramètres, par exemple la politique de santé publique. L'action de prévention doit être prise en compte et valorisée. Le même acte pourrait être rémunéré différemment selon qu'il ait été exécuté dans une zone de désertification médicale ou dans l'un des quartiers de nos grandes villes. Dans les zones de désertification, la rémunération devra être plus importante pour tenir compte de la mission de service public ainsi mise en œuvre. Il devra y avoir un intéressement des médecins à la maîtrise des dépenses de santé de ville pour que nous rentrions dans un cercle vertueux où chacun aura intérêt aux bonnes pratiques. Je crois en outre nécessaire la mise en place d'une rémunération forfaitaire liée à la prise en charge des patients atteints de maladies chroniques.

Il faudra ensuite sans tarder mettre un terme au fatras de formulaires que les médecins doivent remplir et qui occupe aujourd'hui plus de 15 % de leur temps. Nous devons à tout prix leur rendre du temps médical afin qu'ils puissent se consacrer à leur mission première : soigner.

Leurs études devront elles aussi être l'objet de changements. Sur les dix années de formation pour un interne, la quasi-totalité se déroule à l'hôpital. Le rééquilibrage est nécessaire grâce à la pratique du terrain en cabinet médical où pourra se développer la qualité de l'écoute, du diagnostic, du dialogue du futur praticien. Ainsi, davantage de jeunes se tourneront vers la pratique libérale et pas seulement hospitalière.

Il faut mettre un terme à la chute inexorable des médecins généralistes. Elle pourrait se traduire par la perte de 8 % d'entre eux d'ici à dix ans.

L'ensemble de ces mesures fera l'objet d'une loi de modernisation de la médecine libérale. Il s'agit bien d'un enjeu majeur pour notre société. Nous avons besoin que nos quelque 200 000 médecins soient considérés, matériellement comme intellectuellement, à la hauteur de la mission qui est la leur. La santé des Français, la qualité de notre médecine, la force de nos laboratoires pharmaceutiques, le maillage du territoire par tous les professionnels de la santé, tous ces éléments font partie de la qualité de vie à la française. Ils reposent sur l'idée que nous nous faisons de la liberté. Ils sont un enjeu de société qui ne peut être traité de façon partielle ou anecdotique. Il s'agit sans doute de l'un des secteurs où la gauche par méconnaissance et sectarisme aura fait le plus de dégâts. S'être acharné sur la médecine libérale n'était pas le moindre. Or, aucun changement n'est possible en ce domaine sans le soutien des acteurs principaux.

Une fois réglée la question des professionnels, il conviendra de responsabiliser les patients. En effet, la liberté de choisir son médecin doit aller de pair avec la mise en place de la responsabilité de chacun. Je crois dans le parcours de prévention de la santé tout au long de la vie. Il s'agira d'un véritable contrat personnel de prévention que chacun devra signer avec l'assurance maladie et sa complémentaire. Il permettra à tous les Français d'être acteurs de leur maintien en bonne santé. Il indiquera, pour chaque âge de la vie, les actions de suivi médical en termes d'alimentation ou de pratique d'activités physiques qui permettront d'être dans la meilleure forme possible notamment pour les Français touchés par des affections de longue durée. Les progrès de la médecine et de la biologie permettent de mieux anticiper les risques de survenance d'une maladie et en fonction du diagnostic posé de prescrire les actions de prévention les plus adaptées. Ils autorisent également le suivi et l'évaluation du respect des traitements par les patients. La prise en charge à 100 % par l'assurance maladie pour les maladies chroniques pourrait être associée à leur respect. La liberté a comme contrepartie la responsabilité ! Tout comme il ne peut pas exister de droits qui ne répondent à des devoirs.

Notre modèle social se trouve aujourd'hui dans une situation financière tellement dégradée qu'elle menace son avenir. Depuis la fin des années 1950, nos dépenses sociales sont passées de 14,3 % du PIB en 1959 à plus de 30 % depuis 2010. Je sais parfaitement qu'investir pour sa santé n'a pas de prix. Je n'ignore nullement que, sous le triple effet des progrès de la recherche, de l'allongement moyen de la durée de vie, de la nécessité croissante de la prise en compte du confort du patient, il va nous falloir continuer à dépenser plus. Mais à mes yeux cela ne rend que plus nécessaire le contrôle sur l'ensemble de ces dépenses. Il s'agit d'un tel effort pour la nation que nous ne pouvons gaspiller le moindre euro, pas plus que la plus petite énergie. Si nous voulons garder l'architecture de notre système fondé sur la liberté, nous devons proposer des changements ambitieux. Le sujet de l'hôpital est décisif par le rôle qu'il joue dans la santé des Français et par son poids dans les dépenses de l'assurance maladie.

Je souhaite que chaque établissement hospitalier puisse demain devenir autonome. Au même titre que les universités, ils retrouveront ainsi la liberté de se gérer. Les Agences régionales de santé devront alléger leur tutelle en faisant le choix de la contractualisation avec les hôpitaux. Elles fixeront des objectifs de moyen terme aux équipes dirigeantes qui auront ensuite une grande liberté d'action pour les atteindre. Chaque établissement aura la possibilité de choisir ses équipes médicales, les spécialités propres à exercer, la durée du temps de travail du personnel au-delà des 35 heures, le nombre de lits dont ils disposeront. En contrepartie nous mettrons en place un *nouveau* système d'évaluation et d'incitations. Si en fin de période les objectifs ne sont pas tenus, si l'établissement est déficitaire, si les critères de qualité ne sont pas atteints, alors l'Agence régionale de santé pourra décider d'une mise sous administration provisoire. Les hôpitaux autonomes pourront même adapter le montant des sommes restant à la charge des patients en termes de nuitées d'hospitalisation. Cette souplesse favorisera le financement de la modernisation de nos établissements. Ces changements sont très profonds. Ils bouleverseront bien des habitudes mais le statu quo n'est pas possible. Nos hôpitaux sont trop déficitaires, la pression sur l'ensemble du personnel hospitalier est trop forte, les patients sont trop nombreux pour que l'immobilisme puisse être une stratégie crédible. Les personnels sont très attachés à l'établissement dans lequel ils exercent. L'autonomie valorisera cet attachement. Faire confiance aux équipes de direction, au personnel médical, aux praticiens, aux acteurs du terrain sera le cœur de la politique que nous mettrons en œuvre. Il n'y a aucun risque à faire le pari de la liberté. Au contraire, nous les cumulerions tous à choisir le statu quo.

Je souhaite également recentrer les services d'urgence hospitalière sur leur véritable mission qui est celle de l'urgence grave, à l'exclusion de toutes les autres. Il y aura donc, aux côtés de cette dernière, dans tous les hôpitaux, un second service d'urgences « courantes » qui, lui, sera encadré par des médecins libéraux dans le cadre d'un partenariat local. Ainsi nous pourrons désengorger nos hôpitaux qui succombent sous l'afflux des entrées aux urgences qui n'auraient rien à y faire.

Je suis convaincu qu'il faut sans délai relancer des plans Alzheimer et cancer. Les chiffres donnent le vertige. Ce n'est pas moins de près de 400 000 nouveaux cas de cancer chaque année et près de 250 000 d'Alzheimer. L'enjeu humain est considérable. Des millions de malades souffrent. Leurs familles sont la plupart du temps démunies et doivent affronter souvent seules une vie qui change du jour au lendemain. Tous doivent pouvoir espérer. Nous devons mobiliser des moyens considérables au service de la recherche médicale. Le plan maladies dégénératives du gouvernement actuel n'a ni cohérence ni ligne directrice.

L'ambition européenne a été abandonnée. La France qui était à la tête du combat contre la maladie d'Alzheimer est retombée dans l'anonymat le plus complet. Il faut renouer avec le volontarisme. J'ajouterai un plan autisme qui sera lancé dès 2017. L'autisme est une grande souffrance. Nous devons aider ces familles dont le quotidien est bouleversé par la gravité de la pathologie dont souffrent leurs enfants.

La politique en faveur du handicap est un enjeu majeur de solidarité, une grande cause nationale. Notre famille politique peut être fière d'avoir été à l'origine des grandes réformes en faveur des personnes handicapées ces trente dernières années. Lors du dernier quinquennat, l'engagement en faveur des personnes handicapées a été continu à l'image de l'augmentation de 25 % du niveau de l'allocation aux adultes handicapés ou le plan de création de dizaines de milliers de places en structures adaptées. Nous amplifierons nos efforts, en relevant le défi de l'accessibilité physique mais aussi numérique, de la scolarisation, des places manquantes dans des structures médico-sociales et de l'accès à l'emploi. Je veux en particulier sur la scolarisation des enfants handicapés une action forte. Beaucoup reste à faire pour tenir compte des attentes et des besoins des familles lorsqu'on sait que certaines sont contraintes de les scolariser à l'étranger, en Belgique notamment. Dans un grand pays comme le nôtre, c'est choquant. Nous devrons y remédier.

Je veux terminer l'évocation des thèmes de santé en affrontant la redoutable problématique de la dépendance et du grand âge. Là encore, l'adaptation de notre système de prise en charge est un enjeu majeur de liberté pour les personnes concernées et pour leur famille.

Je veux d'abord que l'on réponde à l'angoisse de toutes ces personnes et de toutes ces familles qui doivent faire face au coût du placement en maison de retraite des personnes dépendantes. Aujourd'hui, même en tenant compte de l'allocation personnalisée d'autonomie et des aides au logement, une personne âgée dépendante a, à sa charge, une dépense mensuelle qui peut atteindre en moyenne 2 000 euros par mois. Et encore ne parle-t-on là que des établissements conventionnés avec le département. Dans de nombreux cas, la pension de retraite et l'épargne personnelle ne suffisent pas et la famille doit être à même de subvenir aux besoins. Ce sujet est d'autant plus délicat avec les patients souffrant de la maladie d'Alzheimer, qui restent plus longtemps en établissement. Des coûts cumulés de 100 000 euros sont fréquents, avec une grande partie à la charge des enfants. Je souhaite en conséquence créer une aide à l'hébergement pour les personnes âgées dépendantes en maison de retraite, récupérable sur les successions, dont le niveau varierait en fonction des revenus. Son coût global sera de 500 millions d'euros. Je crois que cette somme est indispensable pour répondre à une préoccupation majeure de nos concitoyens, qui n'ira qu'en s'aggravant. Parallèlement, nous devons préparer un grand plan de création de places dans les maisons de retraite, pour anticiper l'arrivée aux âges les plus élevés des premières générations du baby-boom, à partir de 2025. Cela nous conduira à engager la création d'un véritable cinquième risque au sein de la Sécurité sociale, car la dépendance est un enjeu de cohésion sociale que la société doit prendre en charge. Nous devons nous assurer le plus tôt possible contre le risque de dépendance.

Cet enjeu de solidarité doit nous conduire à poursuivre nos efforts en matière de soins palliatifs. La priorité pour mourir dans la dignité passe d'abord par l'accès au droit de chacun à bénéficier de soins jusqu'à la fin de sa vie. C'est une obligation morale pour les familles confrontées à ces difficultés et une demande forte des praticiens. L'offre de soins palliatifs a presque doublé, de 3 000 lits en 2007 à plus de 5 000 en 2012, grâce au plan national que j'avais initié en 2008. J'ai conscience que ce n'est pas encore suffisant, mais les médecins regrettent surtout que cet effort n'ait pas été poursuivi depuis, comme la Cour des comptes l'a rappelé dans un rapport de 2015. Je veux que, pour le prochain quinquennat, notre retard puisse être rattrapé en se donnant pour objectif de doubler le nombre de places, au-delà du seul cadre hospitalier, pour apporter cette aide aux familles.

La façon dont une société accompagne ceux qui sont le plus gravement malades vers leur fin est un signal de civilisation. Souffrir d'une maladie incurable ne doit pas conduire à un sentiment d'abandon mais au contraire à un surcroît de solidarité et d'attention.

* * *

Je ne peux pas conclure ce chapitre sur la liberté sans évoquer l'impérieuse nécessité de réduire nos déficits publics. Je ne crois pas en effet qu'on soit libres lorsque l'État vit sous la menace d'une hausse des taux d'intérêt, lorsque le remboursement de la dette tangente son premier budget, lorsqu'on ne peut investir dans les besoins prioritaires, par exemple dans la santé et la sécurité, faute d'avoir fait les choix nécessaires pour s'en donner les marges de manœuvre

J'ai la conviction cependant qu'aucune réduction sérieuse des déficits publics ne se fera sans que soient respectées deux conditions.

La première, c'est de réduire nos dépenses publiques de 100 milliards d'euros sur le prochain quinquennat, pour pouvoir financer dans le même temps la baisse des prélèvements obligatoires et la réduction de notre endettement public. Contrairement au pouvoir en place, qui n'a eu de cesse d'expliquer que nous étions endettés parce que les impôts n'étaient pas assez élevés, je maintiens que notre problème se trouve du côté de l'excès de dépenses publiques et en aucun cas du côté d'impôts trop faibles.

La deuxième condition est d'avoir une stratégie de réduction du déficit, plutôt que de se laisser porter, année après année, pour finalement signer des chèques sans provisions, comme le fait le gouvernement depuis des mois, en multipliant les cadeaux clientélistes dont le coût sera supporté par le prochain gouvernement de l'alternance. Il n'y a, à mes yeux, qu'une seule stratégie possible : celle consistant à voter, dès l'été 2017, les mesures de réduction de dépenses publiques les plus importantes, parallèlement au vote des mesures parallèles de baisse de prélèvements. Ce vote immédiat des grandes décisions d'économies dès l'été qui suit l'élection présidentielle n'a jamais été fait en France jusqu'à présent. C'est ce à quoi je m'engage, parce que je sais que tout ce qui n'aura pas été voté immédiatement dans ce domaine le sera bien plus difficilement ensuite.

En complément de l'augmentation de l'âge de la retraite, de la dégressivité des allocations-chômage, de la suppression de 300 000 postes de fonctionnaires sur le quinquennat, de l'alignement des règles d'absentéisme entre le public et le privé, de la suppression de l'aide médicale d'État ou encore de la création, moins coûteuse que le système actuel, d'une aide sociale unique, autant de mesures qui, additionnées, représentent des économies considérables, je veux insister sur des mesures dont le vote immédiat m'apparaît lui aussi indispensable.

Il faudra d'abord tirer toutes les conséquences de la politique de l'emploi que nous appliquerons. La suppression de toutes charges sociales au niveau du SMIC, couplée à la réforme du marché du travail, va débloquer de très nombreuses créations d'emplois, en particulier pour les jeunes. Il n'y aura aucune raison de poursuivre les mesures cosmétiques, et pourtant si coûteuses, mises en place par le gouvernement, à l'image des contrats d'avenir et des contrats de génération. Cette économie s'ajoutera à la baisse mécanique du coût du RSA (14 milliards d'euros) sous l'effet de l'augmentation des créations d'emplois peu qualifiés.

Je veux mettre fin à la dispersion des moyens publics. Il faut cesser ce démembrement de l'État, qui n'a eu de cesse de s'accroître avec la multiplication des agences, des offices et de toutes les structures publiques similaires. Ces agences seront soit supprimées, pour celles dont les compétences peuvent être assumées par les ministères, soit obligatoirement fusionnées. De la même manière, l'assurance maladie obligatoire ne sera plus éclatée en quinze régimes différents qui coûtent la bagatelle de 7 milliards d'euros en frais de gestion. Cet enchevêtrement sera rationalisé en fusionnant ces régimes le plus qu'il sera possible. L'objectif que nous devons atteindre est une diminution des coûts de gestion des branches de la Sécurité sociale d'au moins 10 % entre 2018 et 2022.

En matière de dépenses publiques, les Français sont prêts à accepter des réformes, s'ils n'ont pas le sentiment que dans le même temps l'argent public fait l'objet de gaspillages insensés. C'est parce que je leur demanderai des efforts que je serai particulièrement exigeant vis-à-vis des grandes institutions publiques qui ont des budgets incompatibles avec la situation de nos finances publiques. À titre d'exemple, je souhaite que l'on réduise d'un tiers le nombre de membres du Conseil économique, social et environnemental, par symétrie avec ce que je propose pour les parlementaires.

De nombreuses règles devront par ailleurs être adaptées à leur temps. Il n'est plus légitime que la fonction publique ait des allocations familiales spécifiques, qui s'ajoutent aux allocations familiales versées à toutes les familles. Mon idée n'est naturellement pas de les retirer aux fonctionnaires qui les perçoivent aujourd'hui, mais de changer les règles pour l'avenir. Les futurs fonctionnaires n'en bénéficieront donc pas. De la même manière, les règles relatives aux primes versées aux fonctionnaires en poste dans les ambassades devront elles aussi être revues au fur et à mesure des mutations, car dans bien des cas les différences de traitement ont perdu de leur justification. Plus profondément, la puissance de notre diplomatie ne se mesure pas au nombre de nos ambassades. Nous devons impérativement revoir la carte de leurs implantations, et de tous les services qui leur sont rattachés. En Europe, la rapidité des moyens de communication et de déplacement ouvre par exemple des perspectives considérables de réduction des effectifs et des moyens immobiliers de nos ambassades implantées dans les autres pays d'Europe.

En matière d'assurance maladie, l'ampleur des besoins pour adapter notre système de santé au défi du vieillissement et du handicap nécessite d'assumer des mesures difficiles, sauf à assister impuissants à l'implosion de tout notre système. Nous devrons diminuer le taux de prise en charge des dépenses de santé de 76 % à 73 %, ce qui représentera pas moins de 5 milliards d'économies chaque année. Le « panier de soins » pris en charge par l'assurance maladie sera revu, car nous ne pouvons plus nous permettre de disperser nos efforts. Nous devons nous concentrer sur les dépenses les plus utiles et ne pas hésiter à faire prendre en charge par les assurés eux-mêmes les dépenses qui le seraient moins. Les bénéficiaires de la CMU devront par ailleurs assumer un forfait minimal, de quelques euros par mois, pour que chacun participe, même symboliquement, au financement de l'une de nos politiques les plus essentielles et en même temps les plus coûteuses. Et même après l'adoption de toutes ces mesures, notre système de santé restera parmi les plus généreux au monde.

Enfin, les règles d'obtention des prestations sociales seront fortement encadrées, parce que notre solidarité doit être compatible avec la réalité de notre situation financière. C'est pourquoi je veux que l'aide sociale unique qui sera créée, en lieu et place du RSA, des aides au logement et de la prime d'activité, ne puisse être octroyée qu'à la condition d'être sur le territoire national depuis plus de cinq ans. La fraude sera traquée sans faiblesse. Nous allons changer d'époque. Espérer profiter du système sans faire les efforts personnels que la société attend deviendra impossible. Il ne s'agit pas de pénaliser ceux qui éprouvent les plus grandes difficultés mais d'assurer aux Français la certitude que la solidarité ne sera plus dévoyée.

Épilogue

D ans la tourmente que traverse la France, je mesure
la responsabilité de tous les dirigeants politiques
au moment où s'engage un débat majeur pour notre
avenir. La gravité est nécessaire, compte tenu de
l'importance des enjeux, des souffrances que beaucoup d'entre vous connaissent, de la peur de l'avenir
qu'éprouvent tant de nos jeunes et parfois de la force
de la colère qui vous anime. Aucune approximation,
aucune facilité, ne serait comprise. Voilà pourquoi j'ai
voulu vous dire les choses franchement, énoncer les
problèmes et décrire la réalité telle que vous la vivez.
La solution au défi français est à ce prix. C'est ce dont
j'ai voulu vous convaincre.

Ce débat présidentiel, c'est justement avec vous dans
toute votre diversité que je souhaite l'avoir. Depuis
mon retour dans la vie politique, il y a bientôt deux
ans, je n'ai cessé de constater, lors de mes dépla-
cements, votre impatience à retrouver l'espoir et la
fierté, conditions *sine qua non* du rétablissement de
la confiance. Cet espoir, c'est celui de voir notre

pays renouer avec la réussite, retrouver la place dans le monde qu'il n'aurait jamais dû cesser d'occuper, redevenir une terre d'emplois, de promotion sociale, d'égalité des chances. Cet espoir, c'est celui de gagner la guerre contre le terrorisme djihadiste, c'est celui de se sentir enfin en sécurité sur tout le territoire de la République. Cette fierté, c'est celle que nous devons sans cesse exprimer à l'égard de notre langue, de notre histoire, de notre culture et de notre mode de vie.

Cette attente, je l'ai ressentie partout, en métropole comme en Outre-mer. Dans les villes et les villages, dans les campagnes si durement touchées par la crise et qui se sont senties souvent abandonnées, un seul mot d'ordre est venu résumer votre impatience : « Il faut agir ! Cela ne peut plus durer, nous n'en pouvons plus ! » J'ai pris le temps de l'écoute et du dialogue pour comprendre vos inquiétudes quotidiennes notamment en matière d'emploi, de fiscalité et de sécurité. Vos demandes étaient toujours les mêmes : plus d'autorité, plus de liberté ; davantage de soutien pour celles et ceux qui veulent réussir. L'aspiration commune peut sembler contradictoire. « Que l'on nous laisse faire et que l'on nous protège mieux. » Au fond, il y a beaucoup trop de contraintes subies d'un côté, et pas assez de protection de l'autre. Votre besoin est bien celui de plus de liberté et de davantage d'autorité. J'ai la ferme intention de répondre à cette double aspiration.

Bien sûr, j'ai senti votre défiance pesante à l'égard de la parole publique qui doit tous nous interpeller. Bien sûr, j'ai entendu ce scepticisme qui frappe l'action politique chez nous, comme dans toutes les grandes démocraties. Mais je n'ai pas voulu me résigner, renoncer, abandonner. Toutes ces difficultés ont, au contraire, décuplé mon énergie et ma volonté. C'est la raison pour laquelle j'ai insisté tout au long de ces pages sur la quête de vérité et d'authenticité dont il faudra faire preuve pour parvenir à engager dans les mois qui viennent l'action indispensable au redressement de la France. Tout dire pendant la campagne, parler des sujets qui vous préoccupent, sans oublier les plus difficiles, et y apporter des réponses claires font partie d'une démarche indispensable pour répondre à ce doute qui envahit notre démocratie. Je sais qu'il peut y avoir une part de rêve ou d'idéalisme à penser que cette défiance n'est pas inéluctable, qu'il est possible de retourner la situation, et que nous ne sommes pas condamnés au pessimisme et au déclin. Mais, envers et contre tout, j'y crois. Je veux y croire car j'aime la France, j'ai confiance dans les ressorts profonds de notre nation.

Je vous devais d'aller jusqu'au bout dans cette démarche en mettant cartes sur table en ce qui concerne mes projets. Je ne veux pas qu'à l'image des primaires socialistes de 2012 la compétition à droite soit l'occasion de mauvais compromis et de tactiques partisanes. Je veux la droiture, la cohérence pour le choix des solutions comme des hommes.

Instruit par l'expérience du passé, je crois à l'importance de la période de préparation que représente une campagne électorale. Celle qui s'engagera en septembre nous obligera à organiser l'alternance en pensant très tôt à la mise en place concrète de l'immense chantier de redressement. J'ai beaucoup réfléchi à la meilleure équipe gouvernementale possible. Je veux de la compétence, car la grande technicité des problèmes l'exigera. Je veux faire émerger une nouvelle génération de ministres, car c'est mon devoir que d'organiser ce passage de témoin entre plusieurs générations. Je veux la parité car la politique doit donner l'exemple. Il nous faudra être prêts, scrupuleusement, minutieusement, précisément. Les actions qui seront mises en œuvre dès le lendemain du second tour de l'élection présidentielle ne devront souffrir aucun retard. Les premiers mois du prochain mandat seront déterminants. Il ne pourra y avoir la moindre place pour l'improvisation. Chaque jour comptera.

C'est pour cela que l'élection présidentielle de 2017 sera une échéance, à bien des égards, différente de celles qui l'ont précédée.

D'abord pour la grande famille de la droite républicaine et du centre ; pour la première fois, des primaires précéderont la campagne présidentielle elle-même. Cette période, je souhaite qu'elle ne soit jamais un prétexte à l'affrontement de personnes. Je ne suis pas naïf. Je connais la rudesse des combats électoraux mais les circonstances nous appellent tous à l'esprit de responsabilité et à la dignité ! Le débat d'idées doit suffire à départager les candidats. Point n'est besoin de s'abaisser aux attaques personnelles et au dénigrement pour l'emporter. Y céder irait à l'encontre de ce que vous ne supportez plus et mettrait de surcroît en péril l'indispensable rassemblement dont nous aurons besoin au soir du second tour des primaires. L'unité doit rester notre boussole, et toujours primer la tactique, les jeux d'ego, les intérêts individuels. Je me souviens des haines qui avaient opposé Valéry Giscard d'Estaing et le mouvement gaulliste. Deux septennats de François Mitterrand en furent la conséquence. J'ai vécu de l'intérieur l'opposition entre Jacques Chirac et Édouard Balladur en 1995. Même si la droite l'avait emporté, la fracture qu'avait créée l'élection présidentielle allait laisser des traces et serait lourde de conséquences par la suite. Nous ne pouvons pas nous permettre de courir un risque similaire.

Ensuite parce que l'élection de 2017 ne pourra être seulement une question classique d'alternance entre la gauche et la droite. Ce qui est en cause est trop crucial, le retard pris trop important, l'attrait des extrêmes trop fort pour que 2017 soit un choix comme un autre. Il sera peut-être celui de la dernière chance. Il devra être celui de l'espoir retrouvé. Je voudrais tellement que nous nous souvenions de ce que nous sommes.

Nous sommes la France et jamais nous ne baisserons la garde face à la barbarie terroriste, nous ne nous laisserons pas davantage imposer sa vision du monde.

Nous sommes la France, jamais nous ne cesserons de célébrer nos valeurs, notre culture et notre identité.

Tout pour la France

Nous sommes la France, jamais nous ne pourrons accepter d'être une nation de second rang, car la fierté d'être français vient de très loin dans notre histoire.

Nous sommes la France, nous exigeons que la loi de la République soit respectée partout.

Nous sommes la France et nous savons que ce sont d'abord ceux qui entreprennent et qui travaillent qui peuvent porter l'économie.

Nous sommes la France. C'est notre force, c'est ce qui nous donne envie de nous battre et de continuer.

Je ne renoncerai jamais à l'idée que je me fais de notre pays. J'ai l'intime conviction que nous pouvons réussir. C'est pour moi un engagement total. Ce sera Tout pour la France.

Table

Prologue 9

   I. Le défi de la vérité 21
  II. Le défi de l'identité 57
 III. Le défi de la compétitivité 95
 IV. Le défi de l'autorité 153
  V. Le défi de la liberté 199

Épilogue 227

Pour en savoir plus
sur les Éditions Plon
(catalogue complet, auteurs, titres,
revues de presse, vidéos, actualités...),
vous pouvez consulter notre site Internet :

www.plon.fr

et nous suivre sur les réseaux sociaux :

www.facebook.com/Editions.Plon
www.twitter.com/EditionsPlon

Composition et mise en pages
Nord Compo à Villeneuve-d'Ascq

Impression réalisée par CPI
en août 2016

Dépôt légal : août 2016
N° d'impression : 3018540
Imprimé en France